TESTAMAN

(woman)

*Woman sa a te soti ak Premye Pri Konkou **Jounal Bon Nouvèl** la nan ane 2002.*

*Premye edisyon liv sa a te parèt sou patwonaj **Edisyon Bon Nouvèl** ak pwofesè Bryant Freeman, Ph.D. ("Tonton Liben") nan ane 2003.*

BEAUDELAINE PIERRE

Aranjman paj liv la ak Piblikasyon:
JEBCA Editions

Po liv la:
Seamas Culligan

Depo legal: 2017
Bibliyotèk Nasyonal Ayiti
Bibliyotèk Kongwè Etazini

ISBN 10: 0-9887395-3-4
ISBN 13: 978-0-9887395-3-6

Twazyèm Edisyon (2017)

17 18 19 20 21 22 23 JEBCA 9 8 7 6 5 4 3 2 1

Enprime nan peyi Etazini

Sa ki nan liv la

Mwen dedye twazyèm edisyon sa a a

Ann-Lyse

ak

Maxence

Yon gwo kout chapo pou ekip JEBCA Editions
an, ki pibliye dezyèm ak twazyèm edisyon liv
sa a.

Mèsi

Si w ka rive jwenn testaman sa a, se gras a sakrifis kèk moun ki vle soutni jèfò jounal Bon Nouvèl ap fè pou ede literati kreyòl vanse. Nou pa ka pa di yo mèsi. Konsa, yon fason espesyal, n ap di manm jiri yo: madan Rodny Esteus, pastè Pauris Jean-Baptiste, ak mesye Marc Exavier, mèsi. Nou ap di Bryan't Freeman, nan Inivèsite Kansas, Etazini, yon gwo mèsi. Li se yon gwo fanatik lang kreyòl, ki te asepte pare premye edisyon liv sa a pou nou. Nou ap di tout moun sa yo, jèfò yo pa te pou granmesi, paske mesaj Baudelaine nan se yon mesaj lavi. Si chak moun ki fin li l, al pataje ak moun ki nan vwazinay li, nou sèten sa ap fè peyi a fè kèk pa annavan.

Mwen dedye liv sa a, espesyalman pou moun sa yo:

- Manman m ak papa m: Louis Saint-Juste Necker ak Mariette B. Pierre
- Frè m ak sè m yo: Eslie, Beaudelaire, Densie, Marie-Carmelle, Kernitha Pierre
- Zanmi mwen yo: Edwidge Desormeaux,

Fabiola Celestin, Lourdes-Jane Richard, Marie Ketty Jean-Louis, Martine Jean-Louis, Mirna Gerbier, Murielle Jean Baptiste, Sarah-Jane Celestin, Scott Theodore, elatriye...

- Ekip Bon Nouvèl la ki te pibliye premye edisyon liv sa a.

Entwodiksyon

Testaman se yon woman edikatif Beaudelaine Pierre te pibliye nan ane 2002 avèk èd Edisyon Bon Nouvèl. Twazyèm edisyon JEBCA Editions prezante ane sa a (2016) pral pèmèt plis moun li èv enpòtan sa a.

Testaman rakonte istwa Pèzo ak Tifout ki rankontre Pòtoprens (zòn Sanfil). Tifout se yon jèn gason ki genyen disetan, epi ki fò nan jwe boul. Yon samdi maten, pandan Tifout te sou yon teren foutbòl poukont li, Pèzo, yon gramoun, ki gen anpil sajès vin parèt. Li gen lontan li t ap chache Tifout toupatou nan Sen Michèl pou ba l yon testaman manman l te mouri kite pou li anvan l te vin abite Pòtoprens ak matant li. Menm lè a, yo kòmanse yon konvèsasyon byen djanm. Yo pase sèlman yon jounen ansanm, men pandan tan sa a, Pèzo bay Tifout yon pakèt prensip pou oryante lavi li.
Kisa Pèzo anseye Tifout? Pèzo konprann byen pwovèb ki di : «Timoun jodi, se granmoun demen». Li bay Tifout chans pou li poze l keksyon, e li pran san l pou l reponn tout

keksyon jèn gason an poze li. Li di Tifout: «Chak moun gen pouvwa pou oryante demen l jan l pito». Pèzo konnen se depi nan timoun pou moun kòmanse pran men yo nan chache lavi. Dapre Pèzo, pou moun devlope, fòk yo debouye yo, mache, chache, fè esperyans epi pataje esperyans yo ak lòt moun. Se pou yo itilize sèvo yo byen pou prepare avni yo. Li ankouraje Tifout pou li rete lwen moun ki pa kwè nan demen miyò ak ki pa sispann repete: «Manman m rele Asefi, papa m rele TiJosèf; kidonk, se Sentaniz pou m rete». Pèzo vle fè konprann moun pa dwe kite povrete, mank volonte, oubyen kote yo soti andikape yo. Li rete kwè si moun travay di ak fè efò, yo ka chanje lavi yo. Li konseye Tifout pou l pa chita tann Bondje, lòt moun, Leta ak etranje pou fè tout bagay pou li. Lavi pa janm fè moun kado. Fòk ou plante pou rekòlte. Paske anpil moun pran anpil baf nan lavi ; sa pa vle di pou yo pèdi lespwa.

Dapre Pèzo, si yon moun rekonèt li nan yon move kondisyon, li ka chanje tèt li. Kijan sa ka fèt? Li kapab obsève sa lòt moun fè, pou l pran egzanp sou yo. Lè ou konnen sa ki te fè lòt moun echwe, ou p ap fè menm erè a. Si yon moun fè yon bagay ki bon, imite li. Pèzo ankouraje Tifout pou l kwè nan tèt li, epi ede lòt moun konprann yo ka chanje tèt yo tou. Jan nou aji afekte moun ki bò kote nou. Se poutèt sa, fòk nou toujou bat pou nou pozitif nan lavi a nan jan n pale ak nan aksyon nou. Gen moun ki panse paske yo kokobe, yo pa ka ede nan devlopman peyi a; alòske, vrè kokobe yo se moun ki mete nan lespri yo bagay yo p ap janm chanje.

Tifout se yon jèn gason ki t ap tann lòt moun pou vin retire l nan mizè l te ye a. Lè li kontre ak Pèzo, li finalman reyalize volan lavi l se nan men l li ye. Se li ki pou mete kò l deyò pou ede tèt li. Beaudelaine, itlize yon seri imaj ak konparezon pou montre granmoun ak timoun ka mete tèt yo ansanm pou chanje peyi yo. Testaman montre klè, ou pa bezwen fè gwo klas ni gen anpil lajan pou ede lòt moun. Yon ti lanmen, yon ankourajman ou bay yon moun, oubyen yon ti souri ka bay yon lòt lespwa. Pou nou reyisi nan lavi a, fòk nou gen pasyans pou nou aprann prensip li, travay di, koute lòt moun; epi, tann rekòl travay nou.

Testaman se yon liv tout moun dwe li. Li se yon zouti ki fòse chak sitwayen reflechi sou wòl yo nan sosyete a.

Wedsly Turenne Guerrier, Ph.D

Premye Chapit

"Dèyè mòn gen mòn"
(Pwovèb ayisyen)

Solèy la te rete kache dèyè mòn yo, li pa te janm parèt. Syèl la te sanble l lou; nway yo pa te fè wonnpòt. Fèy bwa yo t ap danse, bon jan van t ap soufle, menm yon ti gout dlo pa te desann sou tè a. Se te yon trèz novanm, yon samdi maten.

Douvanjou te deja parèt; men, nat la te dous anba do mwen. Je m te lou pou l te louvri. Yon ti van tou fre t ap pase nan jou fenèt yo pou vin karese figi m, pase sou tout kò m pou fè m dòmi plis toujou. Nanm mwen te anvi vole, m te dòmi nèt ale.

Lè m leve, li te dizè. Mwen kite pyès kay kote m te kouche a, m desann nan Ri Timas pou yon randevou foutbòl. Se te toujou konsa, chak samdi, depi m te kite andeyò pou m te vin abite Pòtoprens.

Andeyò pa mwen se Sen Michèl. Sen Michèl se
yon zòn Latibonit. Se la tout zantray' mwen
tabli. Se la kòd lonbrit tout fanmi m mare. Men,
se la tou, kòd lonbrit papa m ak manman m te
kase. Se nan yon aksidan machin Sen Michèl yo
tou de te mouri. Lè sa a, m te gen sizan sèlman.
Yon mwa apre aksidan an, matant mwen, ki te
ap viv Pòtoprens, te voye chache m. Kounye a,
m gen disetan.

Mwen dòmi leve Ri Timas, zòn Sanfil. Mwen
pa te gen ankenn okipasyon. Menm doulè sou
ban lekòl, m te bliye. Depi m te vin Pòtoprens,
matant mwen pa te janm gen kòb pou li voye m
lekòl. Se sa l te toujou di m, chak fwa mwa
Oktòb t apral rive.

Men, m te yon wa nan woule boul. Tout moun
nan Ri Timas te konn sa. Se poutèt sa menm, yo
te rele m Tifout. Mwen pa janm sonje ki lè yo te
kòmanse rele m konsa. Men, li ta sanble, m pa
te janm gen lòt non. Tout lavi m te chita nan
woule boul, se sèl okipasyon m te genyen. Se
sèl travay matant mwen te ban m pou m fè tou.
Mwen sonje kè l te toujou kontan, lè moun nan
vwazinay la konn ap fè lwanj pou mwen, pou
jan m jwe foutbòl byen.

Kè m te louvri. Mwen t ap respire fò lè m te pran lari a jou maten sa a. Mwen te do touni ak yon bout kanson sou mwen. Patankò gen solèy; men, te gen yon bon jan ti van ki t ap karese lestomak mwen.

Sou teren foutbòl la, m pa te wè pèsonn ; men, lanati te envayi m. Li te bò kote m, li te sou tout kò m, li te andedan m, li te nan nanm mwen. Li te sanble ak youn nan jou kote zonbi konn ap bat madanm li.

Mwen rale yon blòk, m chita. Mwen te fèmen je m, epi m lonje figi m bay van an ki t ap souflete l adwat agoch. Tout andedan m, tout mwen-menm t ap danse nan bèl melodi van ki t ap travèse zantray mwen. Pou premye fwa, depi m ap jwe foutbòl, m te kontan m pa te wè pèsonn sou teren Ri Timas la.

Mwen t ap eseye viv poukont mwen bèl ti moman sa a, lè m te tande yon fèy bwa kase bò kote mwen. Lè m te louvri je m, m pa te wè pèsonn; men, lè m te vire bò dwat mwen, m santi m pa te poukont mwen.

Mwen te wè sou menm blòk m te chita a yon granmoun. Mwen pa te janm kontre granmoun sa a sou chemen m anvan. Lè je m te tonbe nan je pa l, kè m te bat fò, epi, epi... epi m te dekontwole. Mwen te anvi leve pou m kouri; men, pye m te lou kou yon pwa senkant. Mwen pa te konnen poukisa ; men, nan moman sa a, m te santi jou samdi maten sa a t apral premye jou m nan Pòtoprens.

Nou te chita kòtakòt. Li pa te pale. Mwenmenm tou, m pa te di anyen. Te gen yon gwo silans nan mitan nou. Se te sèlman yon ti van ki t ap soufle, bri fèy chèch ki t ap tonbe, ti zwazo ki t ap chante, epi yon ti lè solèy ki t ap parèt.

Granmoun nan mande m:

-Kòman w rele?

Mwen reponn li :

-Tifout.

Nou tou de te tonbe ri. Pou mwen, pa te gen ankenn rezon pou sa ; men, tout kè sote m te ale.

Epi li kontinye:

- Mwen, yo rele m Pèzo...

Lè m te tande non sa a, kè m te manke rete. Epi, nan tèt mwen, non an t ap kònen, Pèzo, Pèzo,

Pèzo... Pèzo! Mwen te tonbe reflechi, chache nan lespri m, yon istwa, yon evènman ki te kache deyè non sa a. Mwen pa te konnen ki sa egzakteman, men non sa te di m kichòy.

Mwen t ap fouye, fouye chache, fouye nan memwa m jouk m te bouke. Granmoun nan li-menm, pandan tan sa a, t ap gade dwat devan li atè a. Sanzatann, tankou yon kout zèklè, m te wè m Sen Michèl.

Epi, m vin sonje, wi m sonje byen. Mwen te leve tèt mwen fikse granmoun nan pi pre toujou, pou m te ka wè pi byen moun ki te chita bò kote mwen an.

Pèsonaj sa a reprezante youn nan pi bèl souvni m genyen sou zanfans mwen Sen Michèl, menm si m pa te janm kontre ak li.

Mwen te piti toujou, m patankò gen bon konprann, lè m te konn tande manman m ak papa m ap pale sou Pèzo. Se pa te yo-menm sèlman. Anpil moun sou katye kote nou te rete a Sen Michèl te konn ap pale sou granmoun sa a, kòmkwa li ta genyen anpil sajès. Men, anpil nan yo pa te janm kontre ak li. Manman m te youn ladan yo. Youn nan pi gwo pawòl ki te konn toujou soti nan bouch manman m, se anvi l te genyen pou l rankontre yon jou ak Pèzo pou l mande l yon ti moso sajès. Se sa li te konn di papa m ak tout vwazen nou yo. Men, malchans pou manman m, li te janbe nan peyi san chapo san l pa te rankontre ak Pezò.

... Mwen soti Sen Michèl, nan depatman Latibonit".

Se kòmsi Pèzo t ap swiv mwen nan lespri m. Mwen te rete bouch fèmem tèlman m te sezi. Mwen pa te jwenn anyen pou m di. Men, touswit apre, lang mwen te vin lejè. Mwen pa konn si se manman m, kote li te ye a, ki te voye ban m pawòl yo ki t apral soti nan bouch mwen. Men, sèl sa m te gen nan tèt mwen pou moman sa a: Ban m yon ti moso sajès; menm jan manman m te konn di a.

Li pa te parèt sezi; men, li te pran anpil tan anvan l te reponn mwen. Li te leve sou blòk kote nou te chita a, l ale atè a; li pran yon ti grenn wòch, li kenbe nan men li. Pèzo t ap egzaminen ti grenn wòch la, pandan l te vin mete jenou l atè a devan mwen. Mwen pa te konprann sa l t ap fè a; men, li te pran men m, li te mete ti wòch la ladan li. Touswit apre, li te di m yon pawòl ki rete chak jou byen fre nan lespri m jouk jounen jodi a:

-Si yon jou w rive konprann bèlte ki genyen nan yon grenn pousyè, ou va posede tout sajès lèzòm te ka genyen.

Mwen pa te konprann anyen. Men, apre pawòl sa a, li te bese tèt li, epi, li te pran yon lòt ti wòch, li voye l jete. Bridsoukou, li te kanpe sou de pye l, epi l di mwen:

-Tifout, swiv mwen.

Epi, m te swiv li san poze keksyon.

Mwen pa sonje ki chemen nou te pran jou sa a. Men, nou te kite Ri Timas ak Sanfil dèyè. Mwen t ap mache, epi danse sou tout wout la tèlman m te kontan. Solèy la, bò kote pa l, te kòmanse louvri je l; men, li pa te leve. Lanati t ap chante; fèy bwa yo t ap fredonnen.Wout la te long ; epi, nou te fèk kare mache. Nou pa te di ankenn pawòl sou chemen an. Kè nou te kontre, yo t ap pale ti koze ki pa te ka soti nan bouch nou.

Nou t ap pouse pou pi devan, pandan nou t ap kite vil la dèyè. Sou chemen nou, pyebwa yo t ap miltipliye, zwazo yo t ap chante. Mwen pa te janm wè Pòtoprens sou koulè sa a. Mwen t ap fredonnen yon ti chante nan kè m; ki te fè m ri tou dousman. Se nan moman sa a menm, Pèzo ki te devan m, chwazi vire tèt li gade mwen. Nan je li, m te wè menm limyè kè kontan an; sou vizay li, yon ti souri t ap balize. Men touswit, li te vire tèt li pou l te kontinye mache.

Men, m pa te ka mache vit ankò. Pye m yo t ap fè m mal, gòj mwen te chèch, swaf te fin anvayi mwen. Fatig t ap machande lespri m, m te kòmanse bouke. Mwen t ap mache ti pa ti pa dèyè Pèzo ki t ap vale teren. Men, kèk tan apre, m te wè Pèzo kòmanse ap mache pi dousman. Se lè sa a m pwoche bò kote li. Sa m te wè sou vizay li, se yon bagay m pa te ka esplike. Men, m te wè anpil satisfaksyon mele avèk yon kè kal, li t ap souri tou. Mwen wè li vire je l toupatou, adwat epi agoch. Mwen vire je m bò kote pa m tou ; san m pa twò konnen sa m ap chache. Kontantman ki te sou kè m kouvri tout figi m ak you souri ki te menm jan ak yon reyon solèy.

Nou te rive sou tèt yon ravin. Anba pye nou te plen zèb vèt; bèl zèb ki bay anvi blayi, layite kò atè. Toupatou, pye palmis te kanpe drèt tankou

yo pral atake syèl la, pandan branch yo t ap
danse.

Mwen pa te konnen si m te anlè, ni si m te atè.
Mwen t ap eseye sezi bèl mèvèy ki t ap travèse
chak grenn pyebwa, chak grenn flè ki te anba je
mwen. Papiyon tout koulè t ap vòltije, poze sou
vizay mwen. Mwen t ap respire frechè lanati
nan yon ti solèy byen dous ki t ap chofe kè
mwen.

Anmezi m t ap mache, bèlte peyizay la t ap
grandi. Kè m te louvri plis toujou pou konte bèl
mèvèy sa yo. Annapre, nou te desann anba nan
ravin nan. Bri zwazo yo te plen zòrèy mwen,
zwazo tout koulè, zwazo tout kalte ras. Mwen te
wè zotolan, m te wè anpil ti pijon. Kolibri ak
pipirit te fè mikalaw. Mwen-menm, m te
wololoy!

Men, kèk tan apre, m pa te santi pye m yo ankò;
se kè m ki t ap gide m; li t ap transpòte m bò
isit, bò lòtbò. Mwen te cho, m te frèt; m te tou
de; nan tout san m, nan tout kò m. Mwen te
santi yon chalè ki t ap monte tout andedan m.
Men, m te santi yon ti dlo fre ki t ap koule anba
pye mwen. Lè m voye je m atè a, m te wè m bò
yon rivyè.

Dlo a te klè, li te bèl. Se kòmsi li t ap rele m vin neye andedan li. Mwen te bese pou m te pran yon ti gout dlo nan de pla men m, pou m te rafrechi figi mwen. Mwen te vin wè pi klè toujou. Se kòmsi, dlo ki t ap koule sou figi mwen an t ap travèse zantray mwen. Se konsa m te vanse nan dlo a. Bèl ti wòch, tou pre kote m t ap mache a, t ap fè m filalang. Mwen te wè ti pwason ki t ap file bò pye m. Bridsoukou, m plonje nan dlo a dèyè yo. Mwen pa te konnen ki lè m te gentan nan dlo a; men, m te wè m ladan l, tout kò m te mouye.

Lè m leve tèt mwen, m souke tout dlo ki te sou mwen. Mwen pa te fè lontan pou m te kanpe sou de pye m nan mitan rivyè a. Men, kè m t ap bat fò, m pa te ka pale. Mwen te vire tèt mwen adwat agoch, m te leve je m gade syèl la, tout dan m yo te griyen, lè m di byen fò:

-Men, gen yon men dèyè bagay sa yo!

Pèzo, san m pa panse li t ap koute m, reponn:

-Premye leson sajès.

Mwen te pantan lè m te tande vwa granmoun nan reponn mwen. Se lè sa a, m vin sonje, m pa te poukont mwen. Lè m vire je gade l, vizay li te transfòme. Mwen te wè menm bèlte peyizay la nan je li. Apresa, li di m:

-Aprann viv ak lide, gen yon moun ki pi gran pase ou.

Li te fè yon ti mache pou li pwoche bò kote m; epi, li kontinye:

-Vire je w gade pyebwa yo, zwazo yo nan syèl la ak tout lòt zannimo yo. Konbyen fwa w te pran yon ti tan pou w kontanple richès ki chita nan kreyati sa yo? Konbyen fwa w te rekonèt nan lespri w, bagay sa yo depase bon konprann mwen-menm ak ou? Èske yon jou kè w te bat pi vit, pandan je w t ap ponpe dlo devan yon pye mango ki t ap boujonnen? Èske w janm mande tèt ou kilès ki fè solèy la leve?

-Pran yon ti tan pou kontanple mèvèy lanati nan yon papiyon k ap vole, nan yon ti cheni k ap trennen sou yon fèy pwa kongo vèt, nan yon ti grenn lapli ki tonbe sou ou, ki fè w pantan.

Pran yon ti tan pou ka gade. Gade bò kote w. Gade yon ti krikèt k ap vòltije toupatou. Gade bèlte rivyè a k ap glise pase nan mitan wòch yo. Li bay tout zannimo yo lavi, li mete kè kontan nan tout pyebwa yo, li jwenn lavi nan bay lavi. Èske w ka konprann sa?

Epi, li te fè yon ti kanpe pou li te pran souf li pi byen toujou, paske se atò li t ap pale:

-Vire je w sou tèt ou kounye a, Tifout. Pran yon moso glas epi gade ou.

Mwen te rete bouch fèmen. Mwen t ap swiv li nan chak mo ki t ap soti nan bouch li, nan chak jès li t ap fè, nan chak ti souf li t ap pran. Mwen t ap swiv li pye pou pye. Pawòl li yo te penetre m jouk nan zantray mwen. Andedan m te tankou yon pi ki chèch, kote zèb pa te kapab pouse. Men, chak ti grenn mo te tounen yon katafal lapli pou penetre nanm mwen.

-Anpil fwa, ou modi men ki fè w la. Pafwa tou, nan fason w reflechi, ou di tèt ou, pito w te yon zwazo, oswa yon bèf, osnon tou, yon ti kanna. Ou konn menm rive madichonnen jou w te fèt la. Chak fwa w gade tèt ou nan glas, w anvi kouri pou moun ou wè a.

Men, fè yon ti antre nan ou-menm. Gade w. Ou gen de pye pou mennen w kote w vle. Ou kapab di m, pa gen anyen ki estrawòdinè nan sa; chen an tou gen pye pou mennen l kouri toupatou. Se vre, men, an n pouswiv.

Ou gen de men pou ede w touche bagay ou renmen ak sila yo ki bò kote ou. Yon lòt fwa ankò, ou kapab di m, menm si chen an pa gen men; li gen fason pa l, pou l montre moun ki fè l dibyen kè kontan li.

Men gade de je w k ap briye nan glas la, èske se pa yon bèl bagay? Yo se limyè kò w, yo klere chemen w tout kote w vle ale. Men, ou gen tout rezon w, lòt zannimo yo tou gen de je nan tèt yo, pou klere kò yo. Men, an n fè yon ti chita.

Li te pran men m, epi nou te travèse rivyè a ansanm. Mwen pa te ka pale ditou; men, granmoun nan te mennen m lwen nan lespri mwen. Pawòl sa a te fè m reflechi anpil.

Nou rive sou yon gwo wòch lòtbò rivyè a, nou chita sou li. Pèzo te vire fas li ban mwen, li te mete bra dwat li sou zepòl goch mwen, de je l te nan je pa m. Pawòl ki t ap soti nan bouch li t ap penetre tout zo nan kò mwen.

-Nan mitan tout bèl kreyati sa yo, kilès nan yo ki plase pou dominen ak kontwole tout sa je w pèmèt ou wè? Gade jaden bannann sa a, èske se yon chen ki kiltive l pou l bay bèl rekòl sa a? Ou gen yon kay pou rete. Kilès nan kreyati yo ki ba li fondasyon jouk li mete l kanpe? Ou gen rad pou met sou ou, pou pwoteje w kont chalè solèy la ak fredi van yo. Èske se ti zwazo yo ki te fè bèl envansyon sa a? Lè w ap kriye, ou jwenn yon zepòl pou kite dlo je w koule. Lè w ap pale, ou gen moun ki ka konprann ou. Kilès nan lòt kreyati yo ki gen privilèj sa yo? Fè yon ti pale ak mwen.

Mwen pa te gen anyen pou m te di li. Tout sa l te pataje ak mwen yo, se te verite. Mwen te vin konprann sa plis toujou nan pawòl li te ajoute yo:

-Ou se Moun. Chak ti yota nan kò w, chak zo nan kò w, chak manm, chak venn ou yo plase yon fason pou bay kokennchenn achitekti ou reprezante a.

Ou se Moun. Nan mitan tout lòt kreyati yo, ou-menm sèl ki ka panse, reflechi, epi di sa w panse nan fason w pale.

Ou se Moun. Sa vle di tou, ou gen andedan w yon machin estrawòdinè. Lòt kreyati yo pa genyen l nan yo. Se yon machin envansyon

lèzòm pa janm depase jouk jounen jodi a:
SÈVO W.

Menm jan ak zwazo yo nan syèl la, ou gen de je
nan tèt ou pou klere chemen ou.

-Menm jan ak chen an k ap kouri toupatou, ou
gen de pye pou mennen w kote w vle ale; de
men pou manyen tout sa ki bò kote ou. Men, ou
gen yon sèvo pou ou-menm sèlman. Avèk
mèvèy sa a, ou ka kreye ak reyalize anpil bèl
mèvèy."

Lè l te fini fraz sa a, figi l te ranpli ak kòlè.
Annapre, li te deplase, li t ap mache nan mitan
rivyè a. Solèy la ki te toujou poko fin louvri je l,
t ap klere figi li. Nonm sila a pa te tankou tout
lòt yo. Li te wè bagay yo yon fason anpil lòt pa
te kapab wè yo.

Fason l mache, te montre li diferan. Nan pale li,
nou te kapab wè, se te yon potorik gason. Nan
fason li t ap gade sila yo ki bò kote li, se pa te
yon moun konsa konsa. Nan jan l te wè lanati,
pyebwa yo, zwazo yo, li pa te yon moun tankou
tout moun.

Li te leve tèt li, pou l te gade syèl la. Figi l te
vin pi jèn, men se atò mwen wè tout bab ki te

nan machwè li; anpil bab blanch, blanch tankou koton. Yo te makònnen ansanm, yo sanble ak cheve trese. Yo te long anpil, kòmkwa yo ta gen kèk jou yo pa te penyen. Nan lespri m, mwen t ap eseye kapte tout tras ki te nan vizay granmoun nan.

Mwen te fin egzaminen figi li, m t ap desann sou kò l, pandan m t ap chache mete yon laj sou tèt granmoun nan. Mwen te nan refleksyon sa yo, lè m te wè l pwoche bò kote m, li te chita bò rivyè a epi li di:

-Lè m pran gade tout richès ki genyen nan lanati, sa fè m wè anpil bagay. Flè k ap louvri zèl li anba chalè solèy la wete chapo li byen ba devan nonm sa a. Rivyè a ki mete frechè nan tout pyebwa yo ap chante non li tou piti. Zwazo nan syèl la tou ap rele non li. Bèlte ki genyen nan ou ak nan mwen di nou gen yon kreyatè.

Men, lè n ap gade sa lèzòm ap fè, lè n ap gade kòman li pisan nan zèv li yo, pafwa lè w ap gade tou, ou-menm, ki bèl mèvèy ou ka fè, se fasil pou bliye kilès ou ye, pou pran tèt ou pou Bondje. Se la pou veye piga w, se la pou pa fè erè.

Premye sa w bezwen pou reyisi lavi w, se konprann gen yon pisans k ap dominen linivè a; se konprann pisans sa a, se pa ou, se pa mwen. Se menm jan an tou, premye kondisyon k ap mennen w sou wout echèk la, se konprann ou pi gran pase tout moun.

Apèn li te fin di pawòl sa yo, te genyen yon ti farinay lapli ki t ap tonbe sou tèt nou. Ti lè solèy la te gentan ale, tan an te vin frèt; ti zwazo ki t ap vole te antre kache anba fèy bwa yo; ti papiyon yo te fin disparèt. Lawouze t ap tonbe sou fèy bwa yo, sou figi nou, epi sou rad nou. Nan rivyè a, desen ti grenn lapli yo sou dlo a te bèl anpil. Nan de tan twa mouvman, m wè Pèzo antre nan rivyè a ak yon bout kanson sou li. Lè m wè sa, m pa te fè ni de ni twa, m plonje tèt mwen anba dlo a. Lè m te leve li, m te wè Pèzo ki t ap fikse kote solèy la te ale a; epi, li te vire je li sou mwen. Fason li te vire gade mwen an, te fè m konprann solèy la nan mitan syèl la. Li te gentan fè midi.

plizoumuh = yon ti kal

Dezyèm Chapit

"Pran devan pa anyen; se konnen wout ki tout..."
(Pwovèb ayisyen)

Trèz novanm se yon dat ki ekri nan kaye listwa mwen. Li swiv mwen tout kote m pase. Se dezyèm jou mwen te vini sou tè a, kote mwen te pran konsyans mwen t ap viv toutbon vre. Se jou sa a mwen te rekonèt mwen se yon moun tankou tout lòt yo. Piske m se yon moun tankou tout lòt yo, sitiyasyon m te kapab vin miyò.

Sa m te aprann nan ti bout jounen sa a te plis pase tout sa m te jwenn bò kote zanmi m yo sou katye a ak bò kote matant mwen. Alòs, m vin konprann atò, poukisa manman mwen, nan vivan li, te fou pou sajès granmoun nan. Mwen vin reyalize kòman sa te di anpil pou li mouri san li pa te janm kontre ak Pèzo. Kè m te sere anpil apre pawòl sa yo. Sa te fè m mal jouk nan trip mwen, dèske sa te pase konsa pou manman mwen. Kè m te plen ak lapenn.

Depi m gen bon konprann, se premye fwa m kriye konsa sou lanmò manman m ak papa mwen. Se te jou samdi maten sa a. Men, granmoun nan, nan menm moman an, te plante yon grenn lespwa andedan m, yon lespwa ki t ap boujonnen pandan m t ap benyen nan rivyè a. Lestomak mwen te louvri byen laj; m t ap respire fò, m t ap respire lavi. Chalè lespwa t ap monte soti nan kè m, rechofe tout andedan m; epi, mete yon ti dife nan chak ti gout dlo ki t ap tonbe sou kò mwen. Solèy lavi te leve pou mwen.

Lè m te vire gade lòtbò rivyè a, je m t al sote sou Pèzo ki t ap tòde sou wòch li te chita a, anba yon tous ki t ap fatige li. Mwen kouri ale bò kote li. Tous la te fò sou granmoun nan; li te touse san rete. Lè m te wè sa, m kouri soti nan dlo a, m ranmase rad li yo sou wòch kote yo te ye a, m pote yo ba li. Pèzo te foure yo sou li byen vit ; men, sa pa te anpeche l kontinye touse.

Apre l te fini, nou te leve soti bò rivyè a. Pèzo pa te di ni krik ni krak ; men, m te santi nou t apral kite bèl jaden sa a. Sitiyasyon sa a te fè m mal anpil. Mwen te leve je m yon dènye fwa sou pyebwa yo ak bèl rivyè a. Yon lòt fwa ankò, m t ap eseye kapte vwayaj papiyon yo ki t ap tounen paske lapli a te fin tonbe. Mwen te leve je m gade nan syèl la, tout nway yo te ale. Alòs, mwen te vire do m, nou soti nan ravin nan.

Pye m te lou pou m antre lakay; m pa te anvi tounen bonè konsa kote matant mwen. Kè m t ap dechire. Li t ap miyò pou mwen, si m pa te janm kontre ak granmoun nan. Men, m paka kontinye ak lavi m t ap mennen an, lè m fin resevwa pawòl sa yo. Mwen pa ka retounen menm jan an, kote m te ye a. Mwen t ap bougonnen pandan m t ap mache bò kote Pèzo. Pawòl li yo te fè m swaf.

Mwen pa te menm pran tan pou m gade peyizay la yon dènye fwa. Mwen t ap mache bra kwaze ak tèt mwen bese; m t ap babye. Men, bridsoukou, m te pantan sou yon grenn wòch, jenou m te vire, yon ti tan pa te pase, m te gentan tonbe.

Mwen te wont. Pèzo li-menm te rete ap gade m san l pa di m anyen. Annapre, li te souke tèt li, li rale yon wòch, li chita bò kote m te blayi atè a.

-Ki laj ou?

Li mande m.

-Disetan.

Mwen reponn li.

Apre m te fin reponn li, m te regrèt. Depi m te vin Sanfil, pa te gen moun ki te konn laj mwen. Sen Michèl, yo te konn rele m ti rasi, paske m te parèt twò piti pou laj mwen. Se sa k fè tou, tout zanmi m nan ekip foutbòl la Ri Timas te panse se kenzan m genyen. Men, malgre sa, anpil nan yo pa te toujou kwè mwen. Pou yo-menm, m te gen trèz oubyen katòz rekòl kafe sou tèt mwen.

-Èske w al lekòl?

Mwen pa te konnen poukisa li t ap poze m tout keksyon sa yo ; men, m pa te ka kache l anyen.

-Non. Matant mwen pa gen kòb pou li voye m lekòl.

Mwen te jennen reponn li, vwa m pa te vle soti nan gòj mwen. Li-menm, li te ranmase plizyè ti grenn wòch, li t ap voye yo youn pa youn lòtbò jaden an, pandan li t ap pale ak mwen.

-Èske w pa janm panse, anvan lontan, w ap granmoun tèt ou?

Mwen pa te reponn li, ni m pa te ka gade li nan je tèlman m te jennen. Men, pawòl sa yo t ap manje m nan tout zo mwen.

-Èske ane k ap vini yo, ou ta renmen rete menm Tifout ou ye jodi a, yon Tifout k ap drive nan lari Pòtoprens? Èske se sa manman w te vle pou ou? Èske w pa janm reflechi sou yon bagay konsa?

Pawòl sa yo te fè m pi mal toujou ; men, se avèk anpil wont m te reponn:

-Peyi a pa ofri jèn yo anyen. Kisa m ka fè?

Se te repons mwen. Se repons anpil timoun menm jan ak mwen ki nan sitiyasyon m te ye a. Men touswit apre, m te fèmen bouch mwen. Pèzo pa te pale ankò. Sa te fè m jennen. Mwen pa te ka menm bat plim je m yo. Mwen kondane pou m gade atè kounye a.

-Kilès ou kontre sou chemen w, k ap jwi yon sitiyasyon li pa merite?

Mwen pa te konprann pawòl sa a, m pa te reponn li anyen. Se atò li t ap pouswiv, paske sanble se yon misyon l genyen:

-Mwen sonje nan tan lontan, lè m te tou piti, manman m, anpil fwa, te konn ap repete, chak kretyen vivan gen yon kote li vle rive. Rive kote sa a, pi enpòtan pase tout lòt bagay pou li. Se sa k ap fè l santi l byen toutbon vre. Se sa k ap fè l santi l moun toutbon.

Kidonk, Tifout, li enpòtan non sèlman pou w reyalize gen yon moun ki pi gran pase w ; men, pou konprann tou, sa ki fè w moun, se kote w prale nan lavi a, epi chemen w trase ki pou mennen w lan. Sa vle di, ou dwe bay tèt ou yon objektif ; epi abitye lespri w ak li, pa gen moun ki kapab anpeche w reyalize li. Lè sa a, ou posede dezyèm leson sajès la:

"Chak moun gen pouvwa pou oryante demen l jan l pito"

Men li fasil pou bliye kilès ou ye, pou gade bò kote w pou di « Peyi a pa ofri w anyen ». Li fasil pou vire gade dèyè, pou di tèt ou: « Manman m rele Asefi, papa m rele Tijozèf, kidonk, se Sentaniz pou m rete ».

Lè sa a, ou pa fè ankenn jèfò ak tèt ou. Ou pòtre yon bato san gouvènay nan mitan lanmè, van ak vag yo ap bwote. Li pa gen ankenn direksyon, paske l pa konn kote l prale. Yon ti moman, ou

wè li pran direksyon sid; yon lòt ti kadè, li pran
nò pou li; oswa, l ap vire, epi tounen sou plas
san l pa fè yon pa. Si bato sa a pa gentan fann
nan mitan tanpèt yo, anpil fwa l al kraze yon
kote; paske se kòlè lanmè a k ap mennen li.

Men, yon bato ki gen gouvènay, chache
direksyon l nan mitan van ak tanpèt. Li gen pou
li rive kote li prale a, paske li gen yon kote li vle
rive.

Lavi chak kretyen vivan se yon bato. Men, sa ki
enpòtan, se konnen ki kote bato a prale, kilès k
ap mennen li.

Li te pran yon ti tan pou li respire, pandan li t ap
eseye egzaminen kòman pawòl li yo te aji sou
mwen.

-Timoun jodi, granmoun demen; se sa m jwenn
moun ki pi gran pase m yo ap repete. Mwen rete
kwè, pa gen pi bèl verite pase sa. Men, alèkile,
timoun yo pa timoun ankò; granmoun yo, yo-
menm, ap eseye reviv yon moman ki pa te janm
vini pou yo.

Lè m li kè kase sou figi timoun jounen jodi a,
kè m tranble pou demen, paske yo gen pou fè
sosyete a peye tout laperèz sa yo. Lè m wè

vyolans nan je jèn yo, tout branch cheve nan tèt mwen drese, paske pi ta, pi tris toujou. Lè m wè tout pwojè timoun yo jodi a, se kite peyi a pou yon lavi miyò lòt kote, tèt mwen anvi pati; sèvo peyi nou an ap fin disparèt. *I feel like I'm going crazy*

Pandan li t ap di m pawòl sa yo, vizay li te parèt pi granmoun pase jan l te ye anvan an. Pawòl ki t ap soti nan bouch li yo te travèse nan tout kò l, paske tout sa l t ap di m yo te parèt nan je li. Mwen te wè l ap rale anpil souf, se kòmsi li t ap eseye desann kòlè li. Laperèz l ap pale a te fin anvayi m tou. Dayè, se avèk mwen l ap pale, li te rekòmanse [ap] touse ankò. *Besides* *however* Fwa sa a, li touse nèt ale. Se pa te yon bagay m te ka konprann. Men, m te leve, m ale bò kote li. Tous la te gentan kanpe. Epi, Pèzo fè m siy pou m vin chita pi pre li.

-Si anpil nan timoun yo jodi a ap gade lavi a ak dlo nan je, si pifò nan jèn nou yo dekouraje, se pa yon rezon pou nou-menm tou, pou nou pèdi tèt nou. Depi gen moun k ap viv toujou nan peyi a, nou pa kapab pèdi lespwa, paske gen youn oubyen de grenn ki konn kote yo prale. Ou se youn nan yo, Tifout.

Se dènye pawòl m te espere tande pou jounen
jodi a. Paske, jouk nan moman sa a, m pa te
janm bay lavi m enpòtans. Mwen te toujou di
tèt mwen, si yo te ban m pouvwa, pou m te
chwazi vini sou tè a, oubyen pou m pa te vini ;
mwen t ap chwazi pou m pa te vini.

Se te yon panse konsa ki te toujou sou kè
mwen. Paske, jan Pèzo sot di l la a, m pa te
konnen poukisa m te la. Kidonk, m pa te gen
kote m prale. Sa te vle di tou, se kòmsi m pa te
janm egziste.

-Lavi a twò kout pou w ap jwe konsa ak li.
Sispann pase tèt ou nan betiz. Li lè pou pran
reskonsablite ou.   *remorse, foolishness*

Li te pale ak anpil kòlè. Mwen te pantan kote m
te ye a, m rale pye m, pou m pliye chita mwen.   *fold*
Doulè fatig la te gentan pase.

-Pa bay tèt ou pwoblèm si w pa fè gwo klas
oubyen si w pa te janm chita sou yon ban lekòl.
Pa fatige kò w pou wè kòman manman w ak
papa w rele, ni nan ki fanmi oubyen nan ki ras
ou soti. Pa anmède lespri w pou wè w se yon ti   *bother*
nèg nwè. Sa w ye jodi a pa enpòtan. Li pa
enpòtan si w se nèg nwè oubyen si w gen po
klè.

not negative, but perception of racialization persists
-? notion of race

Ou konn kote w soti, ou konn ki bò w ye jounen jodi a. Sèl bagay ki dwe konte pou ou, se kote w prale a.

Men, pa janm mete nan tèt ou, chemen an fasil. Mwen viv, m fè anpil esperyans; men, m pa janm sonje jouk jounen jodi a, yon esperyans fasil m te fè, k ap sèvi m pou rès jou m yo. Tout sa ki fasil pa mande ankenn jèfò. Tout sa ki fèt san jèfò pa bay anyen ki bon. Se nan jèfò moun grandi. Se nan batay nou konn bout nou.

Lavi a se yon batay. Pou mennen batay pa w la, pou ka rive kote w vle a, li enpòtan pou se ou-menm ki pran gouvènay bato a. Ou pa ka lagé li bay lòt moun, paske, se ou sèl ki konn kote w prale. Ou pa ka lage l bay sikonstans lavi a; yo se van ak tanpèt. Kaptenn nan se ou. Pa gen lòt moun ki ka mennen l pi byen nan mitan lanmè a pase ou. Èske w konprann sa, Tifout?

Mwen te souke tèt mwen pou m di l, wi. Men, pou mwen, tèt mwen se te pi gwo reskonsablite m te ka pran nan lavi a. Sa te fè m pè anpil; m pa te janm viv ak lide pou m vin yon moun toutbon demen.

Mwen pa te janm planifye pou demen, m pa te janm imajinen ki kote m te ka ye apre kat oubyen dizan. Mwen te toujou ap viv menm jan ak zwazo ki nan syèl la. Mwen pa janm te panse a pita ; se pa a demen m ta panse. Li te miyò pou m te viv chak jou ki vini, san m pa te bezwen panse sa m t ap gen pou m fè.

Men, tout sa, se paske demen te fè m pè. Mwen pa te ka koresponn ak li. Se te fènwa pou mwen. Se verite sa a m te vin konprann pandan Pèzo t ap pale ak mwen.

Sa li t ap di m yo, te gen anpil verite ladan yo. Jouk kounye a, m rekonèt, se te tanpèt yo ki t ap mennen mwen. Si m te gen pouvwa, gen anpil bagay m te ka fè poutèt mwen, pou matant mwen ak zanmi m yo. Men, bagay yo pa te klè nan tèt mwen ditou.

-Si w konprann sa, sispann viv ak lide, peyi a pa ofri w anyen. Si w reyalize se ou-menm ki pou mennen bato a, ou va konprann atò, si gen yon moun ki pou ofri peyi a kichòy se ou-menm. Si nou tout konprann sa, nou tout ap vle ofri peyi a sa nou dwe l kòm pitit. Lè sa fèt, tout moun a jwenn yon ti lòsyè poutèt pa yo.

Rezon ki fè ankenn moun pa jwenn anyen, se paske yo tout deside se yo-menm ki pou jwenn anvan. Men, pou yo-menm, yo pa gen anyen

pou yo ofri peyi a. Lavi a pa fè kado, fòk ou
travay pou manje. Travay pou merite chak
grenn pyas k ap antre nan pòch ou. Gen fyète
nan sa.

Pa rete tann peyi a. Pa chita sou kont Leta. Se
nou ki pou ba yo egzanp. Si nou fè sa nou dwe
fè, yo-menm tou y ap fè sa yo dwe fè. Demen
peyi a chita nan de pla men pitit li yo. Mwen-
menm, ou-menm, li-menm, yo-menm, se nou ki
Leta. Nou chak gen reskonsablite pa nou. Paske,
si nou la toujou, se paske nou youn pa pran
reskonsablite nou; nou bay yon lòt pote li pou
nou.

Jou n a sispann di tèt nou, se pa fòt nou; nou
chak a pran reskonsablite nou. Nou va
konprann, lè gen yon bagay pou nou fè, se nou
ki pou fè li. Si nou pa fè l, pa gen moun k ap fè l
pou nou. Jou sa a, peyi a a fè yon gwo pa pou pi
devan. Paske nou tout a pran konsyans, demen
miyò peyi a depann de chak pitit li yo.

Ou pa bezwen yon gwo politisyen pou ede peyi
w vanse. Ou pa bezwen se yon moun ki popilè
tou, yon moun tout moun konnen, pou fè yon
bagay pou peyi ou. Ou bezwen sèlman pran
konsyans, nan kèlkilanswa nivo w ye nan

sosyete a, ou kapab ede yon moun ki bò kote ou. Chak fwa w ede yon moun ki bò kote w, ou ede peyi a vanse.

Ou pa bezwen gen anpil nan men w pou fè sa. Yon ti souri ou bay yon moun k ap pase bò kote w, mete yon gwo reyon solèy nan kè l pou jounen an. Yon ponyen lanmen ou bay sila a ki chita atè a k ap mande vo plis pase lajan; sa fè l santi l moun toujou. Yon ti panse pou sila yo ki san manman, san papa, gen anpil valè; yo bezwen moun pou panse ak yo, moun ki panse yo se moun ak ki wè yo tankou moun.

Ou pa bezwen gen anpil pou sèvi peyi w, ou sèlman bezwen yon kè ki gen renmen. Paske yon ti jès, yon ti souri ka fè anpil mirak nan lavi yon pwochen. Jès sa yo bay lespwa ak kè kontan, yo reveye chalè lavi a. Si w rive konprann sa, w a reyalize, ou se yon moun ki enpòtan. Kidonk, ou gen plas ou nan sosyete a."

Pawòl li yo te antre jouk nan fon kè mwen. E sa te fè m tris lè m sonje kòman n ap penyen lage nan zafè peyi a.

Pèzo te gen yon fason li wè lavi a ki bay lespwa. Sa te reveye tout plim sou mwen. Bò kote li tou, vizay li te transfòme, li te vin pi jèn.

-Si w dakò ou se yon moun ki enpòtan, peyi a bezwen ou. Si w kwè toutbon, ou se yon moun ki enpòtan, ou pa gen yon pa pou fè, pou ale chache lavi miyò lòt kote. Lè sa a, ou se yon moun ki itil pwòp tèt pa w, ki itil lòt moun andedan sosyete a.

Sila yo ki mete nan tèt yo, solisyon pwoblèm yo se nan yon lòt peyi l chita, gen pou trennen avèk pwoblèm nan tout kote yo pase. Pwoblèm nan se nan yo li ye, menm jan tou, solisyon an chita andedan yo. Pwoblèm nan se pa peyi a, se pwòp tèt pa yo. Jou w rive konprann prensip sa yo, p ap gen anyen ki kapab kanpe devan ou. Ou va posede tèt ou, w a posede kèlkilanswa sitiyasyon an. Lè sa a, w a pòtre yon bato pisan k ap chire lanmè a, ki p ap kanpe, ki p ap fè bak devan pè pap.

Li te fè yon ti poze. Epi, touswit apre, li te poze men l sou zepòl goch mwen ankò. Je li te nan je m pandan l t ap di mwen:

-Fè yon ti reflechi sou tèt ou, Tifout. Pran men w, mete l sou lestomak ou, santi kè w k ap bat. Gen lavi andedan ou. Panse ak sa w renmen, sa w ta vle fè demen. Ladan yo, chwazi youn kè w bat pi vit pou li, pati dèyè li. Pa kite anyen rete w sou wout ou. Pati avèk lide w ap reyalize yon bagay avèk tout pasyans sa ap mande. Mete tout fòs ou bò kote w, batay jouk ou genyen laviktwa, jouk lavi a mande w gras. Paske lè w tounen yon tilandeng dèyè lavi a, l ap fini pa ba w legen.

?. nuisance?

yield, swindle

Twazyèm Chapit

"Men anpil, chay pa lou"

Touswit apre, li te kanpe sou de pye l; pou l te pran direksyon jaden an. Mwen te swiv li.

Nou pa te ale bò rivyè a ankò. Li vire ak mwen bò yon jaden bannann, li rache yon pat bannann ban mwen. Nou ale pi lwen toujou bò yon jaden mayi, li kase plizyè zepi mayi ban mwen.

Te gen kèk pye kokoye byen wo, tou pre a. Li voye je l gade yo, li souri ban mwen. Mwen pa te konnen sa souri sa a te vle di, men, touswit m te kouri monte yon pye kokoye, m lage de bèl kokoye atè a. Apre sa, nou te lage kò nou nan kowosòl, kachiman, siwèl, ak yon pakèt lòt fwi ki te nan jaden an. Yo te vin anpil nan men nou; men chans pou nou, pandan nou t ap mache, nou jwenn yon vye panyen arebò wout la. Nou vide pwovizyon yo ladan li. Panyen a te lou, men nou mete fòs nou ansanm, nou trennen l mete lòtbò chemen an. Li pa te gen anpil fòs; se yon granmoun li ye. Mwen pa te gen anpil fòs tou; se yon timoun mwen ye. Men, nou mete fòs nou ansanm; nou vin tankou yon towo bèf.

San Pèzo pa te di anyen, li ranmase kèk branch bwa chèch nan jaden an, li sanble yo, li rale brikè'l, li limen yon boukan dife. Se nan dife sa a, nou te boukannen mayi yo ansanm ak bannann ki te nan panyen an. Se te premye manje nou pou jounen an.

Mwen gade Pèzo, m souri ak tout kè m. Li te souri ban mwen tou, pandan li t ap di mwen:

-Nanm mwen reviv. Mwen sot mete lavi nan vant mwen. Fòk nou manje pou nou viv.

Voye je w sou jaden an, gade jan fèy bwa yo vèt, gade jan yo bèl. Chak pyebwa se yon mèvèy nan jaden an.

Annapre, li te mennen m anba nan ravin nan ankò epi li di m :

-Gade yon kouran dlo k ap koule sot nan rivyè a, li pran tout direksyon. Li simaye kò l toupatou nan jaden an. Se li ki bay pyebwa yo lavi.

Nou te deplase yon lòt fwa ankò:

-Voye je w tout kote. Gade lòtbò mòn nan. Lavi tout pyebwa yo soti nan rivyè a.

Apre sa, nou te ale bò rivyè a menm. Li monte, li chita sou yon gwo wòch. Li te ban m men, pou ede m monte wòch la. Kote nou te chita a, sèl bagay nou te ka wè pi byen, se te rivyè a ki travèse nan mitan jaden an. San nou pa te di anyen, nou tou de te tonbe gade dlo a ki t ap layite kò l nan mitan pyebwa yo. Apre yon bon ti tan konsa, li te rekòmanse pale:

-Gade jan dlo a bèl. Chak mouvman li fè, se yon chay souf lavi li pote pou tout sa yo ki bò kote li. Chak fwa yon branch, osnon yon fèy bwa tonbe, li louvri de bra l, pou ba l layite kò li. Tout kote l pase, lavi blayi. Se nan sa li pran plezi li. Se nan sa tou, li jwenn lavi. Si li ta deside gonfle kò l yon sèl kote, kenbe lavi li pote a nan zantray li pou li sèlman, pou li pa ta simaye kè kontan lavi nan sa yo ki bò kote l, li t ap tounen yon mas dlo santi. Paske se nan bay lavi li jwi lavi.

Apre l te fin di pawòl sa yo, li te desann sou wòch kote n te chita a. Mwen te leve pou m swiv li; men, li te fè m yon siy ak men l pou m te rete tann. Li ale kote boukan dife a te ye a, li pran yon zepi mayi pote ban mwen, epi m te lonje men ba li pou l te ka monte sou wòch la.

Sonje se li ki te ede m monte sou wòch la anvan, kounye a se mwen ki ede li.

-Gade mayi sa a. Sila ki te plante li a, te dakò mete twa ti grenn anba tè, avèk lespwa l ap leve yon jou; avèk lespwa tou, l ap miltipliye pou l bay plis toujou. Si li pa te wè lwen, si li te pran tout rekòl mayi a, li vann, li manje, san li pa te mete sou kote kèk ti grenn pou li plante ankò, li pa t ap janm gen bèl rekòl sa. Èske w konprann, Tifout?

Li t ap pale sou anpil bèl koze. Mwen pa te konprann kote li te vle rive, men, m te souke tèt mwen pou m montre l mwen t ap swiv li:

-Manman m fè dis pitit. Yo te rele l Tiwoz. Se mwen ki dizyèm. Tiwoz te viv yon kokennchenn esperyans ak nou tout pitit li yo. Se yon esperyans tout manman fè. Se yon privilèj pou fanm yo: pouvwa pou pote, epi bay lavi.

Premye pitit manman mwen an te rele Selimèn, se te yon ti fi. Lè manman m te fèk fè l, li te gen anpil difikilte pou l te okipe l; se sa li te toujou di nou. Se te premye pitit li, se te premye esperyans li.

Men, anmezi jou yo t ap pase, li te aprann anpil sou kòman pou l okipe timoun. Se konsa, te vin gen yon chanjman nan relasyon pataj ki vin devlope nan mitan manman m ak Selimèn. Fòk mwen di w tou, si manman m pa te deside bay premye pitit li a lavi, konesans li jwenn nan okipe pitit, li pa t ap genyen li. Lè li te vin fè dezyèm pitit li a, li te leve li pi byen toujou paske li te gen yon esperyans deja. Li te vin gen plis esperyans toujou. Lè li te vin gen twazyèm nan, konesans li te ogmante plis toujou paske esperyans lan te plis. Chak fwa, li te fè yon lòt pitit, li te jwenn yon bagay anplis, jouk li te vin fò nèt nan okipe timoun. Èske w ap tande?

Mwen pa te ka wè kote li te vle mennen m; men, m te dèyè li pye pou pye.

-Ki dènye fwa yo te pote yon bon nouvèl ba ou, Tifout?

Pawòl sa a te mete dife nan kò m. Mwen t ap souri pandan m t ap di li:

-Se te samdi anwo. Ekip foutbòl la t al jwe Leyogàn; men, m pa te ka ale, m te rete ak matant mwen ki te malad. Konsa, m te chita sou lakou lakay la, lè Jano te vin di m ekip nou an kale 3 a 1.

-Kisa w te fè annapre?

-Annapre .... Annapre, mwen te sote ponpe nan tout kay la. Epi, mwen t ale rakonte matant mwen sa. Apre, m te pran lari pou mwen.

Granmoun nan te kontinye:

-Se yon bagay ki nòmal, ki soti nan lanati menm. Lè yo vin pote yon bon nouvèl ba ou, kè w kontan anpil, ou sote sou de pye w, epi w al pataje nouvèl sa a ak de ou twa zanmi. Lè w fè sa, èske w pa remake kè w kontan plis toujou? Poukisa dapre ou?

Ou pataje kè kontan w ak lòt yo. Ou fè yon lòt kè kontan. Konsa, lè de kè kontan sa yo kontre, yo fè yon esplozyon ki ale bò kote nou chak. Sa vle di, lajwa a ogmante lè w pataje li ak yon moun. Se menm jan an tou, si yo vin pote yon move nouvèl ba ou, w ale pataje move nouvèl sa a ak yon lòt moun ki ede w plenyen sou sa, ou vin wè bagay yo pi mangonmen pase jan yo te ye anvan.

Epi Pèzo te rekòmanse ap touse ankò. Mwen leve, m chache yon wòch file atè a ki te ka sèvi m manchèt. Mwen fann yon kokoye, m lonje l ba li pou l bwè. Li te bwè li san rete. Apre li pouse yon gwo soupi, epi, li te kontinye pale:

-Mwen sonje lontan, lè m te lekòl, m te renmen aritmetik anpil. Alòs, fò m di w tou, m pa te fè gwo klas. Men, m sonje m te ale nan egzamen sètifika nan vil Gonayiv. Nan epòk sa a, egzamen Leta yo te konn fèt nan gwo vil yo sèlman.

Nan klas mwayen de a, nou te gen yon pwofesè aritmetik nou te konn rele mesye Tizon, paske li te mache tankou yon zonbi. Men, misye te fò anpil nan matyè a, epi li te konn rekonpanse sila yo ki te konn travay byen. Se sa ki fè, anpil fwa li te konn pote bonbon siwo pou mwen ak pou yon lòt ti gason ki te rele Matye. Se nou de a ki te plis renmen aritmetik nan klas la; nou te konn ale sou tablo pi souvan pase tout lòt timoun yo. Sa vle di, de elèv ki te konprann matyè sa a pi byen nan klas la, se te mwen-menm ak Matye. Men, m pa te twò konprann lòt matyè yo pase sa.

Sa te fè m plezi anpil pou m te wè mèt la apresye jèfò m yo. Konsa, m te vin di tèt mwen, fòk mwen travay pi plis toujou pou m fè kè mèt la kontan.

Mwen te konn repase egzèsis yo poukont mwen anba yon pye mango lakay la. Mwen pa te gen tablo, se sou fèy papye fritay'm te konn fè kalkil yo. Mwen te vin fè lide pou m travay ak lòt elèv tou. Konsa, m te ka jwenn yon tablo pou m travay paske anpil lòt elèv nan klas la te gen tablo lakay yo.

Mwen te eseye tcheke Matye, men, li pa te gen tan pou sa. Se sa li te di mwen. Mwen sonje timoun yo te konn plenyen dèske misye se te yon gwo egoyis. Men, m pa te fache ak li pou sa. Mwen te vire do m, m te chache lòt elèv nan klas la.

Nou te vin fòme yon gwo gwoup. Nou te anviwon dis elèv konsa. Men, youn nan nou pa te gen tablo. Nou te blije pale ak direktè a pou l kite n travay nan klas la, lè lekòl lage.

Se konsa nou te kòmanse travay. Se konsa tou, nou te vin gen yon gwo tablo. Rezilta travay sa a te ale pi lwen pase tout sa nou t ap tann. Lè ane a t apral fini, m te pi fò nan kalkil nan klas la pase tout moun, men, tout zanmi m yo te ka konprann kichòy. Mwen te trennen tout gwoup la dèyè mwen. Sa vle di, Matye pa te pip tabak nan klas la, paske li te deside kenbe konesans li yo poukont li.

Lè nou te wè bon rezilta nou te jwenn nan travay ansanm, nou te fè menm bagay la pou tout lòt matyè yo, tankou gramè, jewografi elatriye... Mwen te vin konprann tout sa ki t ap fèt nan klas la; nou tout te fè bèl nòt pou matyè yo. Se sa ki fè nou te kè kal lè nou t aprale nan egzamen ofisyèl yo. Nou te konnen nou tout t ap pase. Se egzakteman sa ki te rive.

Li te fè yon bon ti kanpe apre pawòl sa yo. Li te sanble ap reflechi anpil. Ankenn son pa te soti nan bouch li; men, je li t ap di anpil koze jouk li te di mwen sa m t ap eseye li nan je li a.

-Istwa sa yo m sot rakonte w la, se bagay ki soti nan lwa lanati.

Si rivyè a kenbe tout dlo yo pou li sèlman, tout sa ki nan vant li ap pouri, li pa t ap yon rivyè ankò, men, li t ap tounen yon ma dlo kòwonpi. Fòk li kouri, gaye kò li toupatou, pataje dlo li yo ak lantouray li, pou li ka gen lavi.

Menm jan an tou, si mèt jaden an pa te dakò wete kèk grenn mayi sou kote pou li replante, apre li fin vann oubyen manje nan sa l te rekòlte a, li pa t ap gen yon lòt rekòl.

Se sa ki fè, ou ka konprann, kè w kontan plis toujou lè ou pataje kontantman w ak lòt moun ki bò kote ou.

Ou vin wè atò, tout konesans ou genyen chita pi byen lè w pran de oubyen twa moun pou pataje konesans sa a. Paske w vin konprann, lè w montre moun sa w konnen, ou aprann yon lòt fwa ankò.

Tout mistè sa yo, louvri je nou sou yon sèl bagay: Fòk ou bay pou resevwa.

Se twazyèm prensip lavi a. Se ti prensip sa a mè Tereza t ap viv nan peyi li; se li-menm li te anseye tout lavi l: Fòk ou bay pou resevwa. Se prensip sa a nou jwenn nan liv yon gwo ekriven ameriken, Zig Ziglar, lè li esplike : « Yon moun a fè anpil bèl bagay nan lavi li, lè l konprann kòman li enpòtan pou l ede lòt yo tou fè bon bagay nan lavi yo ».

Prensip sa a, Dessalines ak lòt zansèt nou yo te konprann li byen lè yo te vin deside, pou nwa yo te jwenn endepandans yo, fòk yo te ka ede afranchi' ak milat yo jwenn plis dwa tou nan koloni Sen Domeng nan. Se lide sa a ki te fè yo travay ansanm, ki te vin bay viktwa 1804 la, nan lespri : Men anpil chay pa lou a.

Se sa Jezi, li-menm, mande n pou nou viv chak jou nan lavi nou, lè li di nou: Renmen frè w la, jan w renmen tèt pa ou.

Men, se yon bagay ki difisil anpil. Li pi fasil pou gade moun ki bò kote w la, pou touye l ak yon kout je, tan pou fè l viv ak yon ti moso souri. Li pi fasil pou peze tèt sila k ap monte eskalye a avèk ou, pou fè l desann, pase pou pran men l pou n monte ansanm. Li pi fasil pou detwi pase pou konstwi. Men, pa gen pi bèl verite pase sa: Sa ou plante, se li w rekòlte.

Li pa mande pou ale chache byen lwen pou konprann sa. Li pa mande pou fè gwo etid pou reyalize ti verite sa a. Chak moun, piti tankou gran, viv ti fraz sa a nan lavi yo.

Ou pa ka plante mayi pou ap tann pou rekòlte bannann. Ou pa ka plante zaboka pou panse w ap jwenn kowosòl. Men, ou konnen, lè w plante mayi, se mayi w ap rekòlte, pou jwenn kowosòl, se grenn kowosòl pou mete anba tè a. Lavi a pa fè kado. Si w plante bon bagay nan teren pwochen w yo, lavi a ap sere bon bagay pou ou. Si se move plant ou te mete tou, rekòl la p ap bon.

Ti fraz sa a soti chak jou nan bouch nou, men nou pa viv li andedan nou. Paske nou poko konprann toujou, sekrè lavi a, se nan ti fraz sa a li ye. Se konsa, si nou bezwen jwenn pi bon rezilta poutèt nou, fòk nou tounen zegwi mont lan, pou nou pran yon lòt direksyon.

Se pa vre : Depi nan Ginen nèg rayi nèg. Se pa vre : Ti nèg nwè pa ka antann' yo. Nou te mete tèt nou ansanm pou n te fè 1804, nou kapab mete tèt nou ansanm yon lòt fwa ankò, pou nou bati yon bèl nasyon.

Jounen jodi a, nou pa kapab dòmi sou sa Dessalines, Christophe ak tout lòt yo te fè. Zansèt nou yo te vini, yo te ranpli misyon yo, Ayiti se eritaj yo kite pou nou. Yon eritaj ki marye ak yon bèl pawòl: Men anpil, chay pa lou.

Jodi a, rido a leve sou nou .... Moman pa nou vini pou nou jwe. Èske n ap jwe? Se sèl okazyon nou genyen pou nou travay pou lavni peyi nou. Kit nou jwe, kit nou pa jwe, listwa ap pran nòt kanmenm. Kisa n ap fè? Ki wòl n ap pran?

Si nou jwe byen, listwa ap gen pou ekri aksyon nou yo kou yon gwoup moun ki te travay pou mennen peyi a yon kote. Men, si n pa fè anyen ditou, si nou jwe mal, non nou p ap ekri nan kaye listwa, osnon, li va krache mete deyò non sila yo ki te pran move wòl yo.

Li te leve, li te pran mache, vire tounen nan jaden an. Figi li te make kòlè. Se nan yon flanm dife bwa kanpèch pawòl sa yo te chape:

-Men nou p ap abandonnen! Se pou nou leve kanpe pou jwe wòl nou byen, jouk nou pa kapab ankò. Se pou n leve kanpe mete peyi a sou ray. Se devwa nou: nou tout se pitit peyi a. Nou gen yon eritaj pou n pase bay pitit nou yo. Yon eritaj nou dwe kite pi bèl pase jan nou te jwenn li. Se misyon nou chak ki di ak ki rekonèt nou se Ayisyen.

Men, pou nou rive la, fòk nou bliye tèt nou. Fòk nou ede lòt yo nan lide « Men anpil chay pa lou a ». Fòk nou kwè nan frè nou yo, fòk nou wè tèt nou nan yo. Men, pou nou kwè nan lòt yo, fòk nou kwè nan tèt nou. Fòk nou aprann apresye moun nou ye a. Nou pa ka bay sa nou pa genyen.

Anpil fwa, nou pa fè lòt yo konfyans, paske nou pa fè tèt pa nou konfyans. Se sa ki fè, li enpòtan pou gen bon asirans nan valè nou. Paske lè sa a, nou ka louvri kè nou bay lòt yo. Yo se moun tankou nou, yo gen kote yo vle rive tou.

Li te reprann plas li, vizay li te kalme. Vwa li te dous. Mwen te li lapè nan je l, pandan li t ap kontinye pale:

-Men, gen yon erè pou w pa fè Tifout. Pa pati ak lide w pral chanje moun yo, pou fè yo vin pi bon. Se nou tout ki pa bon, se nou tout ki pou chanje. Si nou pati konsa, chak moun ap wè, gen yon moun ki pou chanje, moun sa a se li. Paske, pi bèl fason pou aprann yon moun fè yon bagay, se ou-menm ki pou fè li, pou ka sèvi yon egzanp.

Lè w se yon egzanp pou moun ki bò kote w, yo pran leson. Yo tounen, yo-menm, bon egzanp pou moun ki bò kote yo. Konsa, nou ka ede moun ki lakay nou, fanmi nou ak kanmarad lekòl nou. Konsa tou, katye kote n ap viv la ap chanje. Si moun yo nan katye a sèvi bon egzanp tou, kòmin nou yo, vil nou yo ka chanje; peyi a tou ka chanje. Se rezilta fenomèn: bay w a jwenn nan.

Depi plis pase yon syèk, n ap eseye: Depi nan Ginen nèg rayi nèg. Men nou wè rezilta li pote. Li pa mache. Li p ap janm mache. An n eseye: Men anpil, chay pa lou a, yon lòt fwa ankò. Li te mache pou zansèt yo, li ka mache pou nou.

-Si nou sèvi ak li jan sa dwe fèt, sa vle di, nan lide : Bay w a jwenn, nan lide renmen nou dwe genyen pou pwochen an, n ap fè mèvèy. Jou sa fèt, n a siyen dezyèm ak endepandans peyi a. Paske jou sa a, Ayiti ap reprann kouwòn «Perle des Antilles » la.

Katriyèm Chapit

"Joumou pa donnen kalbas"
(Pwovèb ayisyen)

De je m yo t ap kriye san. Kè m te sere pou m mouri. Bouch mwen pa te ka pale. Men, tout zo nan kò m t ap krake. Mwen leve, m vire tounen andedan jaden an. Pawòl sa yo te ban m anvi woule kò m atè a, graje l sou tout miray wòch yo. Yo te ban m anvi kouri, kouri toupatou, ale nan tout rankwen nan peyi a, kriye, rele: "Ayiti p ap mouri."

Yo te ban m zèl nan do m, yo te ban m anvi vole. Yo te ban m anvi rele. Epi, yo te ban m anvi ale…ale…ale byen lwen. Kite lespri m pati, fè yon sèl avèk tan an, disparèt andedan li, tankou l pa te egziste. Yo te ban m anvi dòmi.

Mwen te leve je m gade syèl la ankò. Touswit, lide manman m ki mouri san li pa te rankontre Pèzo anvayi lespri mwen. Menm lè a, m santi de ran dlo kouri nan je mwen. Mwen leve, m ale bò rivyè a, nanm mwen te vid, m pa te kapab kenbe ankò.

Alòs tout dlo nan kò m te vide. Yo te vide san rete kou yon sous k ap desann. Mwen te blayi kò m atè a; tout fòs mwen t aprale nan dlo ki t ap soti nan je m yo. Yo te mele ak dlo rivyè a, yo te makonnen ak tè mouye a.

Mwen te kriye tout raj mwen yo nan dlo a. Mwen te wè yo t ap koule sou figi mwen, m te wè yo desann nan rivyè a. Raj kont lanmò manman m ak papa m; raj dèske dèyè m te fin dezabitye avèk doulè zo ban lekòl; raj pou tout timoun ki pa ka ale lekòl; raj pou tout sila yo k ap drive atè nan lari a; raj pou tout kretyen vivan k ap tonbe kou grenn foumi; raj kont yon peyi k ap fin depafini.

Tout zo nan kò m t ap griye, tout branch cheve nan tèt mwen te kanpe, tout venn nan kò m t ap kriye raj. Mwen woule jouk nan rivyè a, plonje tout kò mwen andedan l, kòmsi li te kapab lave tout raj mwen yo, kòmsi li ta ka fè tout soufrans mwen yo pati.

Lè m te soti tèt mwen nan dlo a, se kòmsi gen yon gwo chay ki te sot tonbe sou zepòl mwen. Solèy la t ap blayi nan jaden an, li t ap frape figi m, men, li te andedan mwen tou. Tout dlo nan je m te seche, tout soufrans mwen yo te ale.

Nanm mwen te soulaje. Pou mwen-menm, lavi m te kòmanse chanje. Mwen te kontre ak Pèzo.

Lavi a te di, se vre, men, solèy lespwa t ap klere pou mwen. Mwen te wè l ap boujonnen lòtbò wout la. Mwen pa te konnen poukisa se mwen ki te gen chans tande pawòl sa yo. Mwen pa te jwè ki te pi bon nan ekip foutbòl la, ni timoun ki te pi entèlijan an. Se yon pawòl Jano ak Makandal t ap bezwen tande. Tout ekip foutbòl la te dwe jwenn leson sajès sa yo. Anpil nan nou t ap viv nan kras ak lamizè; anpil nan nou ta renmen Sanfil gen yon lòt figi; anpil nan nou ta renmen wè peyi a chanje.

Pawòl sa yo te merite ale nan zòrèy tout moun nan peyi a, yo se lavni nasyon an. Se yon sajès yo ta dwe anseye nan lekòl: alèkile, timoun yo pa konnen, si pou yo monte, ni si pou yo desann. Se yon sajès tout sila yo k ap reflechi pou peyi a ta dwe tande. Se yon sajès ki ta dwe ekri sou tout mi yo nan lari a, sou tout pyebwa, sou tout poto limyè. Se yon sajès ki ta dwe sou vizay chak moun, enskri nan kè chak pitit peyi a.

Mwen t apral leve soti nan dlo a. Tout dan m yo te deyò. Vizay mwen te bay yon lòt mesaj. Men, bridsoukou, m te sot tonbe sou dèyè m yon lòt fwa ankò. Epi, tout kè kontan te pati kite mwen.

Tout sa Pèzo te sot di m yo la a te bèl anpil. Yo bay moun k ap tande yo yon lòt vizyon sou lavi a. Men, pou mwen-menm, bèl bagay sa yo pa te nan reyalite m t ap viv la. Bò kote pa nou, nan Ri Timas, lavi a te di anpil. Fòk nèg te lite pou nèg te rive jwenn manje. Lavi a pa te dous nan Ri Timas. Anpil fwa, nèg ki bò kote w pa konprann ou.

Lè n ap gade jan bagay yo ye, li ta sanble, se kraze pou kraze tèt sila ki bò kote w yo pou rive jwenn yon sitiyasyon. Lè nou wè jan bagay yo ye nan peyi a, li ta sanble tou, se sila yo k ap fè gwo vye zak kriminèl yo k ap byen mennen. Pa gen plas ankò pou sila yo ki pa ka bay manti. Lòt ki sanble onèt yo, anpil fwa yo pa ka jwenn manje pou konbat grangou yo. Sa ki pi mal ankò, m wè malere ap lite, goumen ak lavi a, men, nan mitan wout, lanmò bare chemen yo.

Mwen t ap panse ak pawòl sa yo ak anpil raj, se kòmsi m te fèk dekouvri verite sa a. Pou mwen-menm, tout jèfò yon moun ka fè, se te pou granmesi. Li ta sanble, lavi a pa janm anrejistre bagay ki bon yo.

Kè m t ap frape byen fò andedan lestomak mwen, lè m te leve sot bò rivyè a. Tèt mwen te bese kou yon moun ki fini ak lavi a. Se konsa m te rive kote Pèzo t ap tann mwen an. Li te chita, li t ap gade vini mwen. Mwen te mache sou li, se avèk anpil raj m t ap pale ak li:

-Mwen bezwen pawòl ki pou fè m viv tout kote m pase nan peyi Ayiti. Mwen bezwen prensip lavi ki pou gide m nan tout sa m ap fè, soti lè m leve nan kabann mwen pou rive jouk lè m pral kouche pou m dòmi.

Mwen ta renmen w di m kòman pou m viv nan yon peyi kou Ayiti, kote moun ap manje moun parèy yo tankou yo t ap manje taso kabrit. Mwen ta renmen w di m kòman pou m fè pou m pa trayi zanmi m yo pou yon moso pen. Mwen ta renmen w montre m sa pou m fè pou m pa kraze tèt Jano, pou m rive yon kote nan lavi mwen. Mwen ta renmen tande nan bouch ou pawòl ki pou fè m pa janm bliye kote m soti, pawòl ki pou fè m vin yon moun toutbon demen.

Lè pawòl sa yo te sot nan bouch mwen, m pa te konnen, m te sèlman wè mwen-menm ki te kanpe pou lage kòlè m sou granmoun nan. Pèzo t ap gade m ak lapenn ak yon men nan figi li. Mwen sezi wè jan li t ap pwoche kote mwen an. Mwen pa te panse yon granmoun nan laj Pèzo t ap banm dwa pou m te di l sa k nan kè mwen. Mwen sezi wè menm jan l te gen pasyans lè l ap pale pou l di sa k nan kè l, se menm pasyans sa a li pran pou l tande m k ap pale. Epi, lè m te fini, m ale chita bò kote l, pandan m t ap kontinye pale:

-Mwen sot tande anpil bèl bagay, se vre yo bèl. Mwen pa konnen si nan lòt peyi yo, se konsa sa ye, men, nan peyi pa nou, lakay pa bò isit, an Ayiti, bagay yo sanble pa fèt konsa. Lalwa pa nou, se yon lwa chen manje chen.

Mwen t ap tann li di m yon pawòl, yon pawòl ki pou ta fè m wè, tout sa m sot di la yo se manti. Yon bagay ki pou ta ban m yon rezon pou m kwè li ka konsa tou nan peyi nou an. Mwen te sot lage tout sa m konprann nan reyalite mwen an devan li. Mwen t ap priye pou se li-menm ki gen rezon. Men, premye pawòl ki te soti nan bouch li a te rache kè m ti kras pa ti kras.

-Se vre, ou gen rezon, Tifout. Jounen jodi a, nan peyi nou, ta sanble pa gen plas pou moun ki panse byen. Alèkile, se moun k ap mache nan chemen dwat y ap gade ak move je. Nou kapab menm mande tèt nou : Ki rezon pou yon moun, oubyen pou nou-menm ap chache fè sa ki byen ?

Se vre, si se ta konsa bagay yo prale, nou pa gen ankenn rezon pou n fè jèfò ak tèt nou nan chache fè sa ki bon.

Vizay mwen te genyen anpil dezespwa. Se kòmsi Pèzo t ap efase tout sa li te di m depi lòtbò rivyè a.

-Men sa mwen vle w konprann, Tifout, ni gwo peyi yo, ni ti peyi yo, se moun k ap viv ladan yo. Gran prensip lavi a, li pou tout moun, yo valab pou kèlkilanswa peyi a. Gwo diferans ki genyen ant peyi ki rive lwen, ak lòt yo ki pa rive ankenn kote, chita nan yon sèl bagay. Nan peyi tèt anba tankou lakay se chen manje chen k ap fè lalwa. Moun ki onèt yo deside rete de bra kwaze, pandan lòt yo ap mache kraze brize ap fè lwa ki bon pou yo, pou enpoze lide yo tout kote yo pase. Men, nan peyi ki fè anpil pwogrè, moun ki panse dwat yo te deside, kèlkilanswa sa ki rive yo, pou yo pote limyè yo a tout kote yo pase paske gen yon peyi yo vle konstwi, pou yo-menm, pou pitit yo ak pou pitit pitit yo.

Mwen te kòmanse respire pi byen, men, m te kontinye ap koute li.

-Mwen konnen, ou-menm, Tifout, ou ta renmen reyisi poutèt pa ou. Mwen konnen tou, ou ta renmen peyi a rive yon kote. Men, m konnen, ou pa poukont ou. Nan peyi Ayiti, gen anpil moun ki renmen peyi yo, gen moun k ap travay pou l chanje. Genyen ki byen travay, men genyen tou, aksyon yo mal dirije.

Ti gwoup nou reprezante a piti anpil, lè n ap gade jan moun ki pa panse byen pou peyi a, yo anpil. Fè esperyans sa a:

Leve yon jou maten nan Ri Timas, ale kote zanmi w yo, sou bout mi nou konn chita a. Tonbe pale ak yo pou esplike yo kòman peyi Ayiti se yon bon peyi, kòman chak moun ka jwenn ladan l pou yo bati demen yo. Ou gen pou wè yo tout ap kouri dèyè w, apre pawòl sa yo.

Men, chita ak yo, kòmanse pale sou Timari, jan tèt li kwòt, epi jan li sòt kou madan Bouki. Yo tout ap rete chita avè w pou yo mete pase genyen. Pale sou peyi a pou di li pa ofri anyen, pale jan Ayisyen mechan, ayayay!

Ou ap mete bèl animasyon nan mitan yo. Kè yo tout ap kontan; men, y ap desann ti bout mi an ak sèvèl yo vid san lespwa pou demen.

Tout bagay sa yo vle di, chay la lou anpil. Nou gen yon gwo travay pou n fè nan mitan zanmi ak fanmi nou yo. Nou gen anpil lavi pou n chanje, nou gen yon peyi pou n leve.

Se sa ki fè li enpòtan, nan tout sa w ap fè, nan tout sa w ap di, pou w pran konsyans ou, pou retire li andedan w, mete l kanpe anfas ou kòm sèl jij. Konsa, w a foure tout sa ki byen nan tèt ou, epi w a simaye byen sa a tout kote w pase. Lè w pran konsyans ou kòm jij, tout sa pou fè, ou fè l byen. Ou fè l jan pou fè l; ou fè l lè pou fè li. Lè sa a, ou vin aprann devlope katriyèm prensip lavi a ki chita sou kapasite chak moun genyen pou l tire yon bagay ki ka sèvi l nan kèlkilanswa sitiyasyon an. Sa vle di: Viv chak sitiyasyon nan lavi a ak lide gen yon bagay ki ka itil ou pou tout rès vi w ladan li.

Sitiyasyon sa yo, se bèl esperyans nou fè chak jou nan lavi a, bèl ti viktwa nou ranpòte sou tèt nou, ki mete bon jan souvni sou kè nou, pou fè n santi nou jèn toujou menm lè nou ta sou baton vyeyès nou.

Sitiyasyon sa yo tou, se ti pwoblèm nou rankontre, toupatou kote n pase. Se chak fwa, nou kase dan nou, alòske nou panse n te kanpe byen djanm. Sitiyasyon ki pou kite nou ak ti panse pou fè kè nou souri, paske nou te vin konprann, reyisit lavi a, se yon konsonmen viktwa ak echèk.

Lè nou viv chak ti moman nan lavi a ak lide sa a, nou vin reyalize, kèlkilanswa pwoblèm, difikilte nou rankontre, nou kapab jwenn yon solisyon. Nou ka jwenn solisyon pou tout lòt malè ki te ka anvayi nou. Se yon prensip ki montre nou, pwoblèm yo nan lavi a, se yon mwayen pou nou grandi plis toujou nan sajès ak esperyans.

-Li fasil pou w ale nan yon kous, pou pèdi. Apre sa ou retounen sou fason w te kouri a, pou etidye kòman w kapab amelyore teknik ou, si w vle genyen pwochèn fwa. Men, li difisil anpil pou yon chanpyon retounen sou pèfòmans li avèk lide pou l amelyore li. Li chanpyon se vre, men sa pa vle di li pa te fè ankenn erè.

Pou yon moun kapab batay avèk lavi a, li enpòtan pou l konprann; li jwenn plis motivasyon nan echèk li yo, pase nan reyisit li yo. Paske, anpil fwa, se pa kote w vle rive a ki enpòtan, men, se chemen w pran pou rive kote w vle a.

Fòk genyen difikilte sou wout ou pou apresye toutbon sa w ap chache a. Yo pa mezire enpòtans yon bagay sou sa li ye, men, sou kantite jèfò sa te mande pou te reyalize l, ak ki enpòtans mèt li ba li.

Fòk ou kontre ak pwoblèm pou ka grandi ak konprann lavi pi byen. Se pa sila yo ki deja lòtbò chemen an k ap fè kè w kontan; se pito lè w rive lòtbò chemen an, ou fè yon ti kanpe pou vire tèt ou pou gade wout ou sot pran pou rive a. Lè sa a w ap frape lestomak ou pou di ou se yon moun toutbon.

Sonje sa, ou pa jwenn anyen pou piyay, paske lavi a pa fè kado. Moun ki pa travay pa manje. Pòt syèl la louvri pou sila yo ki touse ponyèt yo pou yo koresponn ak pwoblèm yo. Plis batay la di, plis rekonpans lan gwo.

San m te glase nan tout kò mwen. Pawòl sa yo te souke tout gangans mwen. Mwen pa te kapab louvri bouch mwen pou m di yon mo. Kontantman ak sezisman te paralize m; tout andedan mwen t ap bouyi. Kò m te cho, san m te frèt. Chak fwa kè m te bat, yon ti gout swe te anvi parèt sou po mwen.

-Lavi a se yon lit li ye. Pou reyisi ladan l ak tout fanmi w, fòk ou dakò touse ponyèt ou, epi antre nan batay. Fòk ou pran tèt ou pou kichòy, frape lestomak ou, di tèt ou, ou se yon moun, ou pa Bondje, men ou fèt dapre imaj li.

Sa vle di, aprann tèt ou, epi aprann lòt yo, pi gran misyon w genyen nan vi ou, se pou vin yon moun toutbon, kòmsadwa. Aprann ou pa dwe viv poutèt ou sèlman, paske sans lavi ou, se nan lòt yo li ye menm jan ak rivyè dlo a, reyisit ou sipoze reyisit frè w yo.

Men, gen yon bagay pou pa janm bliye: Lavi a se yon jwèt li ye tou. Se yon marèl medam yo trase atè a, se yon dans trese riban nan vil Okay, se yon kachkach liben nan yon syèl plen ak zetwal, se yon ti wonn anba yon tonèl. Lavi a gen prensip menm jan ak jwèt sa yo. Epi bèl fason pou gen laviktwa, se konnen prensip yo; viv yo andedan ou. Si se pa sa w fè, se ou-menm k ap pèdi.

Men sa ki pi bèl nan lavi a, ou pa oblije pèdi pou lavi a genyen; ni lavi a pa oblije pèdi pou ka genyen.

Ou ka genyen san lavi a pa pèdi; lavi a ka genyen san w pa oblije pèdi. Ou va konprann sa, sèlman lè w reyalize, lavi a se ou-menm ak frè w yo. Lè w rekonèt jwèt sa a, sitiyasyon sila yo ki bò kote w ap amelyore tou.

Tout prensip ki dominen relasyon moun ak moun nan sosyete a chita sou prensip renmen an. Ti koze m sot pataje avèk ou la a, se pou mwen, se pou ou, se pou nou tout ki vle vanse nan lavi a. Se sa ki manke nou ki fè nou nan mitan chemen an toujou.

Men, tande byen. Nou ka padonnen sila yo ki nan fènwa, k ap fè mal ki pa konnen si se mal y ap fè. Men, pou nou-menm ki reprezante limyè a, pa gen padon pou nou. Nou dwe fè limyè nou an liminen tout kote nou pase. Paske, de moun pifò pase youn, twa pifò pase de, kat pifò pase twa, senk pifò pase kat, ... Lè n a rasanble konsa, lè n a mete tèt nou ansanm, lè n a vle fè kè nou tounen youn, pawòl : Men anpil chay pa lou, a fè lalwa nan peyi pa bò isit.

Senkyèm Chapit

"Ak pasyans w a wè tete foumi."
(Pwovèb ayisyen)

Lakay, pa bò isit, depi m tou piti, m jwenn moun yo ap repete: Bouch granmoun santi, men pawòl li pa santi. Sa se yon bèl verite. Chak moun ou konnen gen yon leson li ka ofri ou. Men w a jwenn sa l ap ofri a, sèlman si w mete w nan pozisyon pou resevwa li.

Mwen aprann nan lavi m, leson yo pi sèvi nou toujou, lè nou jwenn yo lakay moun ki fè anpil esperyans deja nan lavi. Se pou sa paran nou yo la; se pou sa tou, granmoun yo la.

Se sa ki fè, moun ki pi gran pase w, ou dwe yo respè. Se poutèt sa tou yo ankouraje n pou nou onore granmoun yo, paske esperyans yo fè nan lavi a, se pou mwen, se pou ou, se pou nou tout. Leson yo tire ladan yo, se pou nou yo ye tou.

Gen de bèl fason yon moun ka aprann nan lavi a: esperyans li fè li-menm, ak sa li aprann sou esperyans lòt moun.

Chak sitiyasyon w ap viv, chak moun ou kontre sou wout ou, reprezante yon esperyans. Sa ki enpòtan nan esperyans sa a, se fason w viv li pou tire leson li pote a. Si w pa pran leson sa a, ou kondane pou reviv menm sitiyasyon sa a jouskaske w konprann leson an, epi sèvi ak li. Se pa anyen. Sèlman, lavi a se yon lekòl li ye.

Dezyèm fason an chita nan esperyans lòt moun ki bò kote nou.

Si toutan se esperyans pou nou te fè pou n te sezi sans lavi a, anpil nan nou t ap mouri nan wout deja. Men nou gen paran nou, vwazen nou, zansèt nou ak tout kalte zanmi nou ki te viv anpil esperyans pou nou. Nou pa bezwen viv yo ankò, yo te viv yo pou nou deja.

Anpil lòt moun nou pa menm konnen ka sèvi nou nan sajès ak esperyans yo. Genyen k ap viv sou lòt kontinan; nou pa menm ka kontre ak yo. Se nan liv, jounal, radyo, televizyon, teledyòl ak nan nouvèl nou tande pale de yo. Genyen lòt tou, ki te viv anpil ane anvan menm nou te vini sou tè a. Men, nou tande pale sou yo, nou li istwa yo nan liv; yo aprann nou anpil bèl bagay sou kòman pou nou renmen lavi nou, peyi nou, ak tout sa ki nan lanati.

Epi, li te fè yon ti kanpe, pou li pran yon ti souf anvan li ajoute:

-Pou nou viv lavi a jan nou vle, fòk nou dakò rantre sou teren batay la. Pa gen lòt fason pou nou reyisi lavi nou. Depi nan vant manman nou, n ap lite, n ap mande tèt nou ki lè n a fin kwit, pou nou antre nan vrè lavi a. Lè nèf mwa te rive, nou byen kwit pou nou soti nan vant manman nou, nou lite jouk nou mete tèt nou deyò. Lè sa fèt, premye sa nou fè, nou pete rele pou fè konnen nou vivan, pou nou mande atansyon.

Pou nou te jwenn tete a, nou goumen pou li, nou kriye pou li. Pou nou te ka pale, se charabya nou te konn charabya, jouskaske nou te vin pale byen, pou n fè moun konprann nou.

Ki kantite fwa nou te tonbe, anvan nou te rive mache? Nou pa menm ka konte. Men, nou pa te rete atè a ; nou tonbe, nou leve, nou tonbe ankò, nou leve ankò, nou kase dan nou; men, nou te leve pou n kontinye mache pi rèd, jouk nou leve kanpe byen dwat.

Se youn nan premye bèl viktwa nou nan lavi a, paske nou pa te pran nan kraponnay, paske nou te konnen byen kote nou t aprale. Nou t ap chache kanpe tankou manman nou, kanpe tankou papa nou, tankou kretyen vivan ki sanble ak nou.

Bèl viktwa sa a vle di se avèk de je nou, pou nou fonse sou pwoblèm yo, avèk yon lestomak byen bonbe, pou n kanpe devan lavi a, laviktwa sipoze bò kote nou. Èske w konprann sa, Tifout?

Men anpil fwa, apre bèl viktwa sa yo, se atò w ap pran souflèt nan men lavi a. Ou bliye kote w soti, ou bliye si w se moun, ou bliye w se yon chanpyon nan kreyasyon Bondje a. Ou menm ka mande si Bondje egziste.

Epi li te fè yon ti kanpe, li te parèt twouble, min li te tris anpil. Li t ap fikse mwen, men, m te bese je m atè a. Mwen te wont anpil pou tout tan m te gaspiye nan lavi mwen.

-Tifout, lavi ka bèl, men, se ou ki pou fè l bèl. Se ou ki kaptenn bato lavi w, li prale kote w mennen li. Gen nan yon laj w ap rive, ou p ap ka lage chay lavi sou do lòt moun. Se sèl ou-menm k ap lage poukont ou ak pwoblèm ou yo. Pa ap gen moun w ap ka akize pou mizè w apre tèt ou. Pa gen moun k ap vle tande w tou. Li fasil jodi a pou akize peyi a, gouvènman an, matant ou, manman w ak papa w. Pa fatige w, ou p ap ka fè sa pou lontan. Ou ap sezi wè w voye yon kout pwen, epi l tounen vin frape w nan figi. Lè sa a, w ap anvi touye tèt ou ; men, ou p ap jwenn kòd pou pann tèt ou.

Dènye pawòl sa yo te tonbe tankou yon kout zèklè. Se tankou yon kout kouto m te pran nan lestomak mwen. Men, tout sa li te di m yo, se te vre. Chak pawòl li te di, m te souke tèt mwen, tankou se desann yo t ap desann nan lestomak mwen. Mwen te bwè yo, m te vale yo. Mwen pa te vle di ankenn pawòl, paske pou mwen pawòl sa yo se te yon sous ki t ap koule. Li te koule... li te koule nan tout kò mwen. Fòs yo te travèse tout zantray mwen pou te vin chita andedan kè mwen.

-Depi lè m te fèt pou rive jouk jounen jodi a, m fè anpil esperyans. Men, chak jou, m wè mwen t ap viv, mwen t ap eseye chache lavi a. Chache li nan bri fèy bwa yo k ap tonbe, nan chante ti zwazo yo k ap vole byen wo, nan yon sous dlo k ap desann.

Chak jou, mwen t ap eseye kapte yon mesaj nan rèl yon timoun piti. Mwen t ap chache lavi a, nan de je kontre, nan soupi Sentaniz k ap chante nan labatwa, nan kè yon ti chat ki envite w karese l, ..., epi, pòt lavi a te louvri pou mwen. Li louvri jouk jounen jodi a. Se chak jou ki pase, m ap dekouvri kòman gen anpil pou m aprann sou kòman pou m viv. Lavi a tankou yon lanmè, ou pa janm ka fin konnen sa k andedan vant li. Chak fwa pou pwoche li, se kòmsi li vin pi gwo, pi fon toujou.

Li te fè yon ti kanpe, li t ap gade bò kote nou te chita a, pandan li t ap lonje men l kote solèy la te fin kouche a:

-Voye je w, gade kòman solèy la ap kouche. Se yon mistè mwen-menm avèk ou p ap janm ka fin konprann. Lalin k ap fè w filalang, de ti zetwal k ap fè w je dou, se yon bagay lespri nou p ap janm ka fin konprann. Men, tout sa ki gen pou wè ak fason pou reyisi lavi w, tout sa ki gen pou wè ak fason pou viv ak lòt yo, ou jwenn yo nan yon ti souri, nan yon ti bo; ou jwenn yo ekri sou fèy bwa yo. Ou wè yo parèt nan yon kout zèklè, nan yon ti lapli k ap farinen, ... ou jwenn yo ekri nan kaye kè ou.

Lalwa kè a, se yon lwa renmen. Tout sa mwen sot pataje ak ou la a, chita sou renmen, renmen w dwe genyen poutèt ou, renmen w dwe genyen pou lòt yo ki bò kote w, renmen ki pou ede w pouse limit ou yo byen lwen, pou vin yon moun toutbon, paske ou te rive konprann jwèt lavi a, nan prensip li yo:

1. Aprann konnen gen yon moun ki pi gran pase w.

2. Chak moun gen pouvwa pou oryante demen l jan l pito

3. Fòk ou bay pou ka resevwa.

4. Viv chak sitiyasyon nan lavi a avèk lide gen yon leson ki ka itil ou pou tout rès vi w ladan li.

Men gen yon lòt bagay ki pi enpòtan toujou. Li fè wè mezi lafwa w nan prensip sa yo, li montre jouk nan ki pwen ou ka batay pou rèv ou yo reyalize. Li montre kòman kwayans ou ye nan lavi a. Prensip sa a kouwonnen tout sa yon moun ka pase pou l reyisi nan lavi a:

5. « Jan w konprann lavi a, se konsa tou li montre tèt li ba ou »

Ou gen volonte ak pouvwa pou kwè nan tout pawòl nou sot pale la a; pou wè lavi a nan tout

prensip li yo; pou pati ak yo jouk ou fè lavi a louvri pòt li ba ou.

Men ou gen pouvwa tou, pou jete prensip sa yo, pou viv lavi a jan w vle.

Men, li enpòtan pou ou konprann, kèlkilanswa kote w mete lafwa w, se la konfyans ou dwe ye. Paske, si w kwè lavi a ka bèl, si w se youn nan sila yo ki dakò reyisi lavi yo ansanm ak lavi lòt ki bò kote yo, ou dwe rete sou bànyè prensip lavi a. Sa a se reyalite pa ou. Ou va jwenn rezilta dapre sa w kwè, kòm nou konnen dlo lanmè pa dlo dous, menm jan tou, dlo dous pa dlo lanmè. Pawòl la di tou : « Sa w simen, se li w rekòlte ». Si bon lide jèmen nan lespri w, se bon rezilta w a rekòlte. Si w renmen lavi a nan tout prensip li yo, l a renmen w tou; l ap renmen w pi plis toujou. Menm jan ak kiltivatè a ki rekòlte sèt zepi mayi paske li te mete twa ti grenn mayi anba tè a, ou-menm, w a jwenn plis toujou nan men lavi a. Sa se yon reyalite.

Men, si w konprann lavi a pa gen anyen pou li ofri w, ou p ap jwenn anyen. Si dapre w, se nan rete fikse je w nan syèl la, nan kanpe rete de bra kwaze, pou tann lamàn tonbe pou reyalize kichòy, si se nan rete gade sou sila yo ki pa reyalize anyen, pou chita tankou yon blòk glas; reyalite w la ap ba w rezon. Li ap montre w toutbon vre, de pye w pa sou tè, l ap pwouve w egzakteman ou pa gen anyen pou w rekòlte, paske ou pa te simen lespwa nan jaden ou. Sa a se yon lòt reyalite.

Kounye a, kisa w ap chwazi fè?

Chak fwa w fè yon chwa, genyen konsekans li rale dèyè li.

Li lè, li tan, pou w pran reskonsablite lavi ou. Lavi a tankou yon match foutbòl. Gen de ekip sou teren an: yon bò, ou gen pwoblèm ak difikilte lavi a, yon lòtbò, genyen ou-menm, poukont ou. Ou kapab dirije balon an, si w vle, pase nan mitan pwoblèm yo, trible yo, ba yo fant janm, kase, vire, tounen, vale teren, jouk ou rele gòl!

Men, pou sa fèt, se nan pye w pou boul la ye. Oubyen, se ekip w a ki pou gen boul la; paske ou p ap ka fè gòl la poukont ou.

Ou kapab tou, si se chwa w, lage balon an bay lòt yo, fè yo kale w nan pwòp kan w, sou pwòp teren w, devan tout fanatik ou yo. Men, konnen, se konsekans chwa w te fè a.

Anpil nan nou, gen yon kote nou ta renmen rive nan lavi a. Pafwa, nou jwenn plizyè moun ki gen menm rèv la. Anpil nan yo, pètèt, t ap gade lòt ki bò kote yo, epi yo te di tèt yo, se yon bagay ki enposib pou yo reyalize. Se vre, li ka parèt enposib pou yo.

Men, konnen gen yon ti ponyen ki wè kote yo prale, ki wè chemen an difisil; yo deside pou yo rive kanmenm. Pou yo, difisil pa vle di enposib; anpil fwa yo rive reyalize rèv sa a.

Se yon sitiyasyon ki chaje ak anpil remò, lè mesye Jak te vle rive yon kote, men, kòm li abitye tèt li ak lide li p ap janm rive, li pa te janm eseye. Epi, kèk tan apre, li wè Tiklod ki te konn manje sou menm tab ak li, jwe domino ak li, rive reyalize menm bagay li te vle a.

Se yon sitiyasyon ki di anpil. Se poutèt sa, si w kwè yon bagay enposib pou ou, pa eseye dekouraje lòt la ki kwè l posib. Reyalite nou diferan youn ak lòt; nou chak plase konfyans nou yon kote; pou nou tou de, lafwa ap aji.

Apre Pèzo te fin di pawòl sa yo, li te pe, epi l bese tèt li, sanble li t ap reflechi anpil. Mwen te twouble ; men, mwen t ap eseye kalme mwen. Venn mwen yo te prèt pou eklate tèlman san mwen t ap sikile ak fòs. Sèvèl mwen te toumante.

Apremidi a te fin kòmanse dekouraje sou peyizaj la. Ti lè solèy la t ap kache tou dousman, fènwa t ap pare l pou anvayi peyi a. Yon bon ti van t ap bobo figi nou, pandan mwen t ap reflechi sou jounen an. Se jou m te dekouvri lavi a; se jou m reyalize m se yon moun toutbon; se jou m dekouvri bèlte lavi a; se yon jou m p ap janm bliye.

Mwen glise sou wòch m te chita a ; m te anvi blayi kòm atè a. Mwen te anvi fè yon ti silans andedan mwen; mete yon ti silans bò kote m, pou m te ka repase nan lespri m, tout sa m te aprann pandan jounen an.

Anmezi tan an t ap pase, jaden an t ap vin pi fènwa. Se nan ti moman sa a sèlman m resi panse a matant mwen. Li te gen pou li fè jounen an nan mache Kwabosal pou l tounen nan apremidi. Sa vle di, li te deja lakay nan lè sa a. Men, menm si li te monte kabann li san l pa te wè m antre, li pa t ap pè pou mwen. Paske, nou-menm jèn gason nan Ri Timas, se vè onzè diswa nou chache wout kabann nou; si n ap antre.

Mwen pa te prese pou m tounen lakay. Men, fènwa te deja fin anvayi peyi a. Pa te gen bri ditou, se sèlman, sous dlo a ki t ap chante, ak bri ti zwazo yo ki t ap vole.

Mwen voye je m kote Pèzo te chita a. Kè m te manke rete lè m wè kòman li t ap vomi anba yon touf pay. Men, se krache li t ap vomi. Touswit apre, li te tonbe touse. Mwen leve, m al frape do li. Mwen te kase yon ti klis bwa pou m mete dèyè zòrèy li. Mwen sonje, manman m te konn fè sa pou li rete vomisman. Sa te mache. Mwen te leve apre, m al kale lòt kokoye a ba l bwè. Li te desann li yon sèl kou tankou premye a. Tous la te tou vole gadjè.

Apre, li te leve, li te fè m swiv li. Mwen pa te wè kote li t ap mennen m, men, nou te pase nan yon lòt ravin, nou te janbe ma dlo tou. Rak bwa te bare chemen nou, pou anpeche nou pase. Men, Pèzo te sanble l konn chemen an byen. Anmezi nou t ap vanse, wout la t ap vin pi klere devan nou. Chemen an t ap vin pi laj. Pandan li t ap mache, li t ap touse, men, li pa te touse anpil. Mwen t ap swiv li pye pou pye, Pèzo te fè yon ralanti. Jaden an pa te fènwa nèt. Mwen pa te ka wè kote nou te ye, jouk Pèzo louvri yon pòt ban m antre. Se atò mwen t ap pran sezisman pou jounen an. Mwen tonbe sou yon pyès kay ki te kouvri ak sa ki sanble yon syèl. Se te yon syèl tou nwa, chaje ak zetwal. Deyò a pa te klere anpil, men, lalin nan te sanble voye tout limyè l nan pyès kay la. Lè m te antre andedan li, m leve je m, lalin nan te egzakteman sou tèt mwen.

Men, se pa sa sèlman ki fè m sezi. Lè m te fè premye pa m nan pyès kay la, apre sezisman te fin anvayi tout kò m, mwen vire gade Pèzo ki te rete kanpe nan papòt la. Pou sa m te wè, m pa te ka pale. Pòt Pèzo te kenbe a, se te yon pòt ki te trese. Li pa te menm ak lòt sa m te konn wè yo. Mwen te wè anpil kalte bwa makònen ansanm. Mwen te wè bwa kann, bwa pitimi chèch, ak anpil lòt lyann m pa te konnen. Yo tout te trese; yo te bay yon pòt ki te kanpe byen djanm. *firm*

Men, sa ki te pi bèl ankò, se fason pyès kay la te ranje a. Si nou konn wè nich zwazo madan sara, andedan pyès kay la te gen yon gwo nich. Li te gwo anpil. Nenpòt gwo moun te ka kouche ladan l, epi fè tout sa l vle. Se te yon bagay wololoy!

Sa ki pi bèl la, te genyen tou kèk bèl pye flè ki te plante nan kwen kay la. Te gen woz, flè solèy, choublak ak anpil lòt flè. Se te yon paradi andedan jaden an. Lè Pèzo antre, m konprann atò, se la nou t apral pase nuit lan. Li t al chita nan nich ki te sèvi kòm chèz salon an; vizay li te parèt pi repoze.

Sa te ban m yon soulajman, tout kè kase te sot nan mwen. Alòs, m ale chita bò kote l, epi li kontinye pale :

-Jodi a se premye jou nan tout rès vi ou. Kisa w deside pou fè? Jodi a, ou kapab konprann, ou p ap janm gen posiblite viv yon lòt lavi ankò. Ou p ap gen chans viv yon lòt vi pou ta di: Si w pa reyisi nan lavi sa a, w a pran chans ou nan yon lòt. Ou gen yon sèl vi pou viv. Kisa w deside fè?

Pa di demen w ap gen tan; fè sa w gen pou fè jodi a menm.

Si yo ta di w, ou rete egzakteman yon ane pou viv, reflechi pou wè ki rèv ki kenbe w, ki te ka pouse w fè yon bagay anvan w ale. Kòmanse fè l jodi a.

Si yo ta di w ankò, ou rete yon jou pou viv, ki dènye bagay ou t ap deside fè ki te ka mete lapè

nan nanm ou, menm si w pral mouri demen?
Kòmanse fè li kounye a.

Èske w kokobe? Èske lè w ap mache nan lari a,
sila yo ki gade w pran pitye pou ou, pandan y ap
remèsye Bondje dèske yo pa konsa?

Kilè yon moun te gade w pou li kouri vire tèt li,
paske w te ba li kè tounen? Mwen pa konnen.
Men, ou gen de pye, ou gen de men, ou gen de
je nan tèt ou. Ou pa kokobe; menm si w te
kokobe, se pa dènye kou ki t ap touye koukou a.
Pi gwo maladi ki ba w traka, se lè w kite lespri
w kokobe ak yon latriye lide ki p ap mennen w
pi lwen pase lamizè, zègrè ak dezolasyon.

Mwen wè moun ki avèg, moun ki gen bout pye,
fè sosyete a asepte yo. Anpil fwa tou, menm
yon ti bravo yo pa te ka bat pou montre
kontantman yo, paske yo te pèdi de men yo. Yo
te bliye yo andikape; yo te di tèt yo, gen yon
bagay yo ka fè. Se konsa, yo te reyalize anpil
gwo koze; yo te rive rann sosyete a gwo sèvis.

Lè nou-menm ki rele tèt nou moun nòmal, n ap
gade bagay sa yo, nou di yo se moun
estrawòdinè, nou rele yo save. Men, li bon pou
nou konprann, save a chita andedan chak moun
k ap viv. Anpil fwa, li difisil pou nou asepte sila

yo ki pa menm jan ak nou kòm moun nòmal ki gen anpil kapasite. Nou pran pitye pou yo, nan lanfè n ap fè yo viv jan nou trete yo. Nou pa asepte yo. Men, genyen nan yo ki te deside revòlte kont sitiyasyon sa a, pou pwouve yo-menm tou, yo gen yon bagay yo ka fè.

Mwen p ap janm bliye jou m te kontre Anit, ki te yon avèg. Li te pèdi de pye l yo tou. Li te fèt tou avèg, men, se nan yon aksidan machin li te pèdi de pye l yo.

Mwen te kontre ak li premye jou m te desann Pòtoprens, lakay marenn mwen, nou te rete nan menm lakou. Chak samdi nan lakou sa a, yo te konn mete animasyon ak bèl chante, bèl mizik, ak dans taye banda. Gwo banbòch!

Men, sa ki te konn mete plis kè kontan lakay nou, se lè nou te konn tande Anit k ap jwe gita li, osnon ki chita devan pyano l pou chofe kè nou ak bèl mizik li yo. Se yon bagay ki te etone nou anpil nan lakou a. Anpil moun te konn di, se pwen li pran, gen lòt tou ki te konn di se don Bondje ba li, pou l ap jwe bèl enstriman sa yo, malgre li te avèg, malgre li te gen bout pye.

Sitiyasyon Anit la te fè m poze tèt mwen anpil keksyon. Jou m te vin kontre ak li a, je m te louvri. Mwen p ap janm bliye pawòl ki te soti nan bouch li, lè m te pale ak li. Jouk kounye a, m sonje fason li t ap pale ak mwen. Mwen te gen douzan, lè sa a. Li te poze men sou zepòl mwen, li te bese tèt li tou pre mwen pandan nou te chita, li te di m pawòl sa yo:

-Nan epòk sa a, yo te konn rele m Tizo. Anpil moun nan lakou a te panse m te yon kokobe. Yo te menm di, se lwa ki ban m pwen pou m ka jwe gita ak pyano konsa. Yo te di tou, se lwa yo ki ban m pouvwa pou m chante. Men, tout sa yo, se manti. Nan tèt yo, yon kokobe tankou m, pa gen anyen ki bon m ka fè. Se ak yon kwi pou yo te wè m chita bò lari a ap mande. Yon bon jou, yo t a kraze l nan men mwen. Men, m te chwazi pou m pa kite kritik yo detwi lespri mwen. Mwen ap fè sa m vle ak lavi mwen. Pa gen moun k ap vin dekouraje m ak pawòl nan bouch yo. Volonte m pi fò pase pawòl sa yo, m ap fè yo wè sa.

Kisa m te di tèt mwen? Mwen konnen, gen de bagay m pa ka fè:

Mwen pa ka kouri,

Mwen pa wè.

Kidonk, m fè silans sou tout sa ki gen pou wè ak de bagay sa yo

Yon lòtbò, m te eseye konte tout sa m te ka fè. Mwen konnen, m ka sèvi ak men m yo, m konnen m ka tande. Mwen eseye imajinen tout sa ki bò kote mwen. Men, sa ki te pi enpòtan pou mwen toujou, m te ka fè moun tande mwen. Se konsa, m te sèvi ak yo.

Alòs, mwen dekouvri kòman nou tout kretyen vivan, nou gen imajinasyon ak pouvwa pou n reyalize anpil bèl bagay.

Moun kote m t ap viv la pa te janm asepte m jan m te ye a. Men, m konnen m te nòmal. Mwen t ap chache kòman pou m montre yo sa.

Mwen sonje, lakay mwen, nan vil Okap, te gen yon gwo mizisyen yo te rele Tisèkèy. Mwen t ale kote li. Se avèk tout kè l, li te montre m jwe mizik. Sitiyasyon an pa te fasil ditou; men, jounen jodi a, m reyalize poukisa mwen t ap batay.

-Se konsa Anit te pale ak mwen. Pandan mwen t ap tande li, dlo pa te sispann kouri nan je mwen. Men, lè m te kite l, m te pati ak yon raj, yon detèminasyon pou m pwouve tèt mwen, pou m montre sila yo ki bò kote m, mwen pa te yon kokobe.

Sezisman te souke tout kò m. Mwen patankò fin konprann sa Pèzo t ap di m, paske m pa te janm panse li te ka yon kokobe. Li te gen de pye l, e yo te djanm paske nou te fè anpil wout ansanm. Li te tande m, li te pale ak mwen. Mwen pa te ka bwè pawòl sa yo; men, se atò li t ap kontinye pale:

-Wi, Tifout, mwen-menm tou, m se yon moun bout pye....

Kè m te sote ponpe andedan lestomak mwen. Èske se jwe Pèzo t ap jwe? Mwen pa te konnen.

-Mwen gen youn nan pye m yo ki pa pou mwen.

Alòs m te pwoche l pou m te ka wè, m pa sonje kijan sa m te wè a te aji sou mwen. Mwen pa te di l anyen; men, li te leve pou li desann bout kanson an sou li, e m te leve pou m ede l tou. Mwen pa te wè anyen; m pa te ka di kilès nan pye yo ki pa te pou li. Pou mwen-menm, tou de pye l yo te parèt nòmal. Nou te fin wete pantalon an, te rete bout kanson an sou li sèlman. Li te rale bout pantalon an monte pi wo, li te fèm siy pou envite m gade. Alòs, m te dekouvri tout longè pye a kote li te kole avèk yon bout kwis." Mwen te pwoche pou m manyen li ak lapenn. Se kòmsi se te pou li; men, li te pi di pase lòt la. Fòk li ta di w, epi fòk li ta montre w, pou ta kwè sa. Menm lè nou t ap mache ansanm sou wout la, m pa te ka imajinen yon bagay konsa.

-Apre m te fin kontre Anit, mwen t ap eseye bay lavi m yon lòt sans. Mwen t ap eseye chache konnen plis toujou sou egzistans mwen. Sa te enpòtan pou mwen, pou m te konprann lòt yo, pou m te eseye chache rezon ki pouse yon moun pwoche yon lòt.

Gen anpil leson m tire nan esperyans sa a, men, gen yon bagay m pa janm fin ka konprann jouk jounen jodi a. Mwen poze tèt mwen keksyon, m vire, m tounen bò isit, bò lòtbò; m pa janm konprann poukisa anpil moun ap machande lavi yo pou nenpòt ti krik ti krak.

Zafè kokobe a, se nan lespri li chita. Jou w konvenk tèt ou, gen bagay ou pa ka fè, pa gen anyen k ap fè w fè li. Istwa Anit la te vin fè m konprann, kokobe yo, se pa sila yo ki manke pye, men, je... ; men, se tout moun, yo te gen tan chante antèman yo anvan menm yo te mouri; paske pa gen ankenn batay ki te mete yo kanpe devan lavi a.

Anpil fwa, nou di tèt nou, nou nòmal paske nou gen pye, men, nou wè ak nou tande. Sosyete a asepte nou deja; men, tout sa se manti. Si n pa ka batay pou travèse difikilte yo nan lavi a, n ap wont tèt nou pi devan. Nou ap jwenn anpil lòt moun pou pataje wont sa a ak nou. Tout sa n ap fè nan lavi a, dwe sèvi pou montre nou pa Moun pou granmesi.

Pou sila ki te kreye w la, pou tout ras moun sou latè, pou fyète w kòm Moun, ... pou tout rezon sa yo, ou dwe vini, epi pati kite fanmi w, katye w, peyi w, menm lemonn antye, pi lwen kote w te jwenn yo. Ou pa dwe pase konsa.

Granmoun nan te kòmanse ap kabicha kote li te ye a; po je li te parèt lou anpil. Vizay li te vin pi jèn. Yon ti souri t ap paweze' sou tout figi li. Pèzo sanble yon moun k ap reve. Li t ap lonje kò l pi byen toujou nan nich lan, pandan li t ap pale tou piti:

-Mwen pa konnen ki jou n ap gen pou n kontre ankò ak si n ap gen pou n kontre. Men, pa janm bliye pawòl m sot pataje ak ou yo. Sèvi ak yo, ekri yo nan kè w, tanpe yo sou fontenn ou, pote yo jouk nan nanm ou, pou yo kenbe w konpany tout kote w pase. Nan tout sa w ap fè, nan tout pawòl k ap soti nan bouch ou, nan tout panse k ap dominen lespri w, sonje tout lwa lavi yo.

Li touche lestomak mwen, li te kite men l sou mwen pandan yon bon ti tan. Mwen santi kèk gout dlo kouri sot nan je mwen. Yo te koule, li te wè yo t ap koule, men, li pa te di anyen. Yon bon ti tan te pase anvan li te rekòmanse pale. Men, m pa te anvi l pale ankò, paske li t ap touse anpil chak fwa l te louvri bouch li. Mwen swete m te gen kouraj pou m te di l sa.

-Mwen te konnen yon madanm, si li te vivan, li t ap kontan pou li wè pitit li a, Tifout, posede pawòl sa yo. Madanm sila a, m te gen chans kontre ak li nan yon bis sou wout Sen Michèl. Nou te sot Pòtoprens ansanm. Se yon moun ki te swete kontre ak mwen depi byen lontan. Li te ansanm ak mari l nan bis la. Nou te gen chans pale anpil pandan nou t ap antre nan vil Sen Michèl. Madanm sila a te ranpli ak sajès. Li te aprann mwen anpil nan ti bout vwayaj nou te fè ansanm nan. Men, se te premye ak dènye fwa nou te kontre, m pa regrèt m te pran tan pou m te koute li.

Epi, li te rekòmanse ap touse ankò. Mwen ale bò kote l, men li te repouse m ak men li. Sa ki te etone m, pou premye fwa nan jounen an, m te wè dlo kouri nan je li, epi li te rekòmanse ap pale ak anpil difikilte:

-Lè nou te rive bò ti mache a, bis la te fè yon virewon, nou pa te menm gen tan wè kilè nou te vire tèt anba ladan li, paske li te chavire; "... fanm sila a te mouri nan bra mwen ansanm ak tout mari li.

Kè mwen t ap bat vit san rete. Mwen pa te ka kwè sa m te tande a. Mwen pa te vle kwè sa m t ap tande a. Èske se ta manman m? Mwen t ap tann li fini.

-Fanm sila a, anvan li te mouri, te pale m de yon pitit gason li genyen. Li te fè m fè l pwomès, pou yon jou kanmenm, mwen pase vizite pitit gason sa a. Se te dènye pawòl li; men, lè mwen te fè l pwomès la, te gen lapè sou vizay li. Je l te fèmen pou letènite.

Dlo m yo te koupe sèk. Lajwa te ranpli tout nanm mwen. Kidonk, rèv manman mwen an te rive reyalize. Sa te mete lapè nan mwen tou.

-Depi lè a, m kouri nan tout Sen Michèl, nan tout lari Pòtoprens pou m ka peye dèt mwen, men….

Tous la te kenbe li yon lòt fwa ankò, ak tout m te twouble, m leve, ranje kèk touf pay anba tèt li pou sèvi l zòrye, epi, m ede l lonje kò l atè a. Je li te gentan fèmen. Mwen lonje kò m bò kote l, pandan mwen t ap chache yon ti somèy.

Mwen vire tounen, m pa te santi m byen, konsyans mwen te toumante anpil. Mwen te santi yon malè genlè t apral rive mwen. Dòmi an pa te vle vini. Mwen te vle santi m miyò, m te sispann bat kò mwen. Mwen pa te gen kè kase ditou pou lakay. Kote m te ye a, m te nan plas mwen. Li pa te bon pou m ta kite granmoun nan dòmi la a poukont li nan jaden an. Mwen pa te gen kè kase pou manman m ankò; rèv li te reyalize san m pa te konnen. Epi se konsa dòmi te pran mwen.

Sizyèm Chapit

"Mwen reve yon lòt Ayiti"

Mwen te dòmi ak lapè nan nanm mwen. Je m yo te fèmen ak yon kokennchenn lespwa pou tout rès vi m ; avèk lide, demen, anvan lawouze fin tonbe, pou m desann nan Ri Timas, al rakonte ekip la tout esperyans m sot viv pandan jounen yè a.

Pou premye fwa nan somèy mwen, m sonje manman m ak yon bèl ti souri sou kè mwen. Sa te soulaje m anpil pou m konnen, li te rive reyalize yon bagay ki te sou kè l anvan menm li te mouri. Mwen pa te gen ankenn remò ankò paske m te panse m te vòlè benediksyon manman mwen an. Li-menm tou, li te kontre ak Pèzo; se li ki te voye l ban mwen.

Men, gen yon bagay ki te rive m ankò nan nuit sa a. Se pa yon dekouvèt m te fè; m kwè, jounen an te ban nou anpil nan sans sa a. Se pa kèk lòt leson sajès m te pran nan dòmi an; tout sa yon moun te ka di sou fason pou moun viv, rantre nan prensip Pèzo sot pataje ak mwen yo. Se sa m rete kwè, li pa ankenn leson sajès; men, li bon pou m pataje l avèk nou, se yon fason pou m te viv tout sa m te tande.

Temwanyaj sa a, li pou mwen, li pou nou tout. Li ka ede nou konstwi demen nou, menm jan leson Pèzo yo kapab transfòme lavi nou tout, depi sou timoun piti, pase nan jenès nou an, pou rive jouk lakay granmoun yo.

Nan nuit sa a, m wè peyi nou an chanje, m wè Ayiti vin pi bèl. Nan rèv mwen an, se kòm si m wè Pòtoprens chaje ak fèy vèt. Mwen wè limyè lespwa klere tout kote m pase. Mwen mache nan tout rakwen nan lari a, m jwenn lespwa devan chak pòt kay. Toupatou, nan lakou yo, devan baryè yo, pye mango, pye siwèl, pye kokoye, ak anpil lòt pyebwa t ap fleri sou bezwen moun yo.

Mwen kontre ak sò Woz, fanm solèy, m wè manzè Choublak; yo tout t ap mete kè kontan lakay timoun kou granmoun. Mwen wè solèy la leve sou tout kay yo; m wè reyon li yo layite nan tout peyi a, pou chofe chak kè, pou mete dife nan chak nanm.

Epi, m te pike tèt desann Channmas, sou plas la, m jwenn ak zansèt nou yo. Mwen kontre ak Dessalines, Christophe, epi Pétion ....

Mwen wè sila yo ki te batay pou n te gen lendepandans. Mwen pa te wè lepe nan men yo, m pa te wè yo sou chwal, men, yo te kanpe men wotè ak de bra yo louvri ak yon ti souri sou vizay yo. Yon ti souri ki te sanble montre kòman yo kontan pou peyi yo te kite pou nou an ap vanse.

Mwen te wè sou menm plas la, anpil lòt moun yo te fè estati pou yo, moun ki te mouri, men, ki te rann peyi a gwo sèvis nan vivan yo. Mwen te wè granmoun ladan yo, te genyen timoun tou.

Lè yo t ap pale sou zansèt nou yo, sou ewo nou yo, yo pa te site non Dessalines ak Christophe sèlman. Te gen anpil lòt ankò. Chak moun te wè plas yo nan fason peyi a t ap vin pi bèl la.

Mwen wè timoun yo ap jwe lago kache; m wè anmore ak anmorèz yo k ap flannen men nan men. Se te bèl bagay. Mwen li kè kontan sou vizay sila yo k ap pase nan lari a; kè kontan ki vle di, lavi.

Mwen wè moun ki pa konnen m, di m bonjou. Mwen wè sila yo ki pa konnen m ki vle ban m lanmen. Mwen wè etranje nan lari a souri ban mwen. Mwen di lonè, yo reponn mwen respè. Mwen mande dlo, yo ban m manje. Mwen mande chèz, yo ban m kabann. Mwen wè tèt ansanm; m wè men kontre, m wè kè ini. Mwen wè lanmou blayi sou tout peyi a.

Annapre, m janbe Site Solèy; m wè solèy lavi leve sou tout kay, sou tout pyebwa, kote zèb t ap pouse, kote flè yo t ap leve, kote pye mayi yo t ap donnen. Mwen wè timoun ap kouri nan jaden dèyè zandolit ak papiyon; m wè lapè ak kè kontan nan je yo.

Mwen te wè bagay sa yo, alòs nanm mwen te satisfè. Mwen retounen lakay matant mwen, Ri Timas. Nou kraze yon match foutbòl sou teren an. Se premye fwa, nan katye a, nou te jwe yon bèl match konsa. Nou te fè match nil, ki vle di, nou tout te genyen. Annapre, nou chak te vire do nou, n ale.

Mwen te mache toupatou nan lari a, m te kontre ak tout kalte moun; moun lavil kou moun andeyò; moun rich tankou moun pòv. Mwen te kouri monte desann. Pòtoprens pa te sanble ak

Pòtoprens nou konnen an ankò. Li te gen yon lòt vizay, lannuit kou lajounen.

Mwen te wè anpil granmoun pran plezi yo nan bay blag anba poto limyè. Mwen te wè yo tann nat atè nan lari a pou yo kouche, men se pa kay yo pa te genyen, se pa kote yo pa te jwenn pou yo te kouche. Men lari a, se te kay yo; anba ⇐ poto limyè a se te salon yo.

Mwen te desann sou Bisantnè, m te wè flè lorye yo fleri pi bèl toujou. Mwen te wè dlo ap ponpe, adwat agoch. Mwen te wè frechè blayi sou tout kat kwen peyi a. Mwen te kontre ak elèv lekòl; m te li renmen yo genyen pou peyi a nan je yo; m te wè tout ògèy yo genyen pou peyi Ayiti sou fontenn yo. Nanm mwen rejwi. Mwen te vire do m pou kontinye chemen mwen.

Mwen pa te konnen kote m t aprale. Mwen te mache san rete, m te sèlman ap swiv wout la. Sou de bò chemen an, pyebwa yo te kanpe byen djanm. Devan m, wout la te sanble li p ap janm fini. Mwen te mache san rete. Mwen pa te bouke, ni pye m pa te fè m mal. Mwen t ap mache byen djanm sou chemen an, tankou yon sòlda ki pral nan lagè.

Mwen te mache konsa pandan anpil tan. Tan an te frèt, nway yo te plen syèl la. Lapli a te kòmanse farinen. Fason li t ap desann sou figi m te fè m dous toutbon vre. Malgre dlo lapli a, kò m te ranpli ak chalè. Mwen kontinye mache; m mache san rete kòmsi gen yon bagay mwen t ap pouswiv lòtbò chemen an. Mwen te kontinye wout mwen.

Men, bridsoukou, fènwa te anvayi peyi a nèt. Mwen pa te wè ni adwat, ni agoch. Devan m ak dèyè m te chaje ak fènwa. Mwen te kontinye mache, pi dousman fwa sa a, pandan van lanati t ap travèse mwen. Sa te mete lespwa nan nanm mwen, li te ranpli kò m ak fòs pou m te ka kontinye mache. Epi, m te mache pi dousman, mwen t aprale, fènwa t ap diminye. Mwen pa te ka konprann sa mwen t ap viv la. Men, pi devan jouk lòtbò chemen an, m te wè yon ti je limyè pèse fènwa a, li te tankou yon reyon solèy. Mwen santi yon chalè lespwa anvayi m. Epi, tankou yon sòlda, mwen t aprale kote limyè a t ap tann mwen an.

Setyèm Chapit

« Mwen eritye yon testaman »

Mwen pa sonje kisa ki te reveye m nan demen maten, men lè m te louvri je m, lawouze t ap tonbe. Kote mwen-menm ak Pèzo te kouche a te frèt anpil. Jou dimanch sa a, syèl la te parèt sonm; anpil nway t ap deplase. Nou te ka wè yo kote nou te kouche a. Van t ap soufle, li fè tout andedan m krake. Mwen voye je m kote Pèzo te kouche a. Li te vire do ban mwen; sanble li t ap dòmi toujou.

Mwen bay yon ti kout je nan pyès kay la. Nich la te byen trese; andedan li, nou te tankou de ti zwazo. Lide sa a patankò fin jèmen nan tèt mwen, lè m te wè yon ti pijon vin poze devan pòt la. Men, li pa te poukont li; li te trennen yon pakèt lòt ti pijon dèyè li. Yo pa te chante, ni fè bri, yo sèlman te vin poze sou pòt la, ak sou nich Pèzo te trese a.

Mwen voye je m gade anlè a, yon ti gout lapli te tonbe nan nen mwen. Se atò lapli te kontinye ap tonbe sou mwen, sou Pèzo, ak sou tout ti pijon yo. Se pa te pijon sèlman. Lapli a te fèk kare tonbe lè m wè lòt kalte zwazo ap pwoche. Te gen toutrèl, kolibri, sousaflè ak yon latriye lòt zwazo. Mwen te wè pipirit tou. Yo tout te vin poze san yo pa te fè bri andedan pyès kay la. Men, se pa te lapli yo te vin pare; m vin konprann sa jouk apre. Tout pyès kay Pèzo a te plen ak zwazo. Mwen leve, m al bò kote yo; yo pa te deplase, yo pa te vole. Yo te rete kote yo te ye a, tou dousman.

Mwen louvri pòt la. Alòs, sezisman anvayi m ankò, lè m wè chen, chat, kochon, bèf, kabrit, mouton, zandolit, sèke tout kay la. Yo te kanpe ak tèt yo bese. Mwen pa te konprann anyen nan anyen.

Mwen al eseye reveye Pèzo. Tout zwazo yo te nan menm plas la. Mwen te wè yo voye je yo nan direksyon kote Pèzo te kouche a. Ta sanble li konn abitye ba yo manje. Men, li te sanble l fèk kare dòmi. Mwen ale pou m leve li, m souke l; men, li t ap dòmi pi rèd. Mwen pase bò kote l te bay fas li a, m vire l pou m fè l leve. Men, kò li te rèd tankou yon blòk glas. Mwen gade vizay li, bouch li te louvri byen gran; lang li te pann sot deyò, pandan gwo flèm t ap koule sòt nan bouch li. San m te glase nan venn mwen, kò m te rete drèt. Tout lespri m te vid, m pa konn sa pou m fè. Mwen sezi, m pè, m ap tranble. Pèzo mouri nan men mwen.

 Tout bagay te fini, m te mare senti m, m te chita ap panse a tout pawòl, konsèy, trezò li te ban mwen yo. Mwen t ap panse a kisa m dwe fè. Mwen te panse a manman m, papa m, Jano, Matye, Ri Ti Mas. Mwen t ap panse a lavni mwen ak reskonsablite Pèzo ban m pou m al chanje sitiyasyon m ak sitiyasyon sila yo k ap trennen nan pousyè ak mizè. Nan mitan tout refleksyon m yo, m al tonbe sou yon trezò Pèzo te prepare pou mwen. Pèzo te siyen yon testaman, li kite m kòm sèl eritye nan testaman sa a.

Uityèm Chapit

« Pataje bon nouvèl la »

Nov. 13

Jou trèz novanm sa a, se yon jou ki mache ak mwen tout kote m pase. Chak fwa nuit lan tonbe, m di Bondje mèsi pou tout trezò yo li te fè m dekouvri jou sa a. Chak fwa je m louvri, se yon okazyon pou mwen reviv tout sa m te aprann nan bouch Pèzo, se yon okazyon pou m pataje ak zanmi m ak kanmarad mwen yo, pawòl sajès sa yo.

Se pa pawòl ki ekri nan liv, se pa pawòl zòrèy ka tande, se pa pawòl bouch ka esplike; men, se pawòl ki ekri nan kè, ki ekri nan kè nou tout. Anpil fwa, nou bezwen yon moun, yon pwochen, pou pran men nou, pou ban nou yon ti bourad, nan yon ti pawòl sajès, pou fè n monte pi wo. Konsa, nou ka reyalize lavi nou chak se nan men nou tout li ye.

Kounye a, m gen diznevan. Jouk jounen jodi a, m pa rive konprann tout eritaj m te jwenn nan men Pèzo a. Men, chak fwa kè m bat, je m louvri sou bèlte lavi a, m vin konprann pi plis toujou, poukisa m ap viv.

Jou trèz novanm nan, se pi bèl temwayaj lanmou m jwenn nan lavi mwen. Li sèvi m tout kote m pase. Se yon pouvwa ki chaje batri zantray mwen, chak fwa lide dekourajman anvayi lespri mwen. Se yon frèt ki kale m, chak fwa m bliye poukisa m te la. Se yon dèlko ki toujou ban m enèji, pou m kontinye batay pou rèv mwen yo. Jou trèz novanm sa a mete m sou moun, li ban m rèv poutèt mwen, pou fanmi m, ak pou peyi mwen.

Se poutèt sa m vle pataje trezò sa a avèk nou. Se poutèt sa m ekri temwayaj sa a. Li se limyè lavi a, nou bezwen l pou klere chemen nou. Leson ki ladan l yo se solèy lespwa, se tout sa nou bezwen pou kè nou toujou kontan menm lè loray lavi a ta gwonde. Pawòl sa yo mete yon lòt souf nan lavi nou, yo ban nou kè kontan; yo retire dlo nan je nou.

Se poutèt sa tou, m ta renmen leson sa yo al jwenn sila yo ki chita nan lari a, tankou lòt yo ki sou ban lekòl. Mwen ta renmen wè pawòl sa yo ekri nan kaye elèv yo; m ta renmen wè yo enskri nan liv yo tou. Mwen ta renmen wè yo nan chante nou yo. Mwen ta renmen wè yo nan pwovèb nou yo.

Mwen ta renmen yo chante pawòl sa yo, nan tout kwen legliz, anba tout peristil, nan chak kalfou, nan tout kat kwen peyi a. Mwen ta renmen wè pawòl sa yo, sou tout poto limyè. Mwen ta renmen wè yo ekri sou tout mi nan lari. Mwen ta renmen wè yo nan tout pankat manifestasyon. Mwen ta renmen wè yo ekri byen gwo nan syèl la.

Pawòl sa yo, m ta renmen lanati fè yo fè kenken nan zòrèy chak pitit li yo. Mwen ta renmen tande yo nan bèk zwazo yo ak sou tout fèy bwa yo. Mwen ta renmen wè yo nan kè m, m ta renmen tande yo k ap soti nan kè ou. Mwen ta renmen wè yo blayi sou nou tout.

Pawòl sa yo, m ta renmen yo fè nou rele jouk zo nan kò nou degrennen. Mwen ta renmen yo fè nou kriye tout raj nou, pou nou mete deyò tout sa ki pa bon. Mwen ta renmen yo lave nou, epi mete tout sa ki bon pou lavi blayi nan nou. Pawòl sa yo, m voye yo pou tout moun kapab genyen temwayaj sa a anba men yo. Se pawòl ki dwe ale nan zòrèy chak moun k ap viv sou latè. Se pawòl ki dwe kònen nan zòrèy jenès nou an, ki pou make nou nan tout po nou, ki pou tanpe tout manm nou, ki pou mete fòs nan tout zo nou yo. Se yon pawòl ki pou mete n vivan.

Pa kenbe prensip sa yo poukont ou. Pataje yo ak lòt ki bò kote w, se yon mwayen pou w konprann yo pi byen toujou. Mete yo sou kè w, y ap blayi lavi nan ou, y ap pote lavi nan lòt yo ki bò kote ou. Ekri yo sou fontenn ou, y ap bay lòt yo chalè lespwa. Sèlman, pa fòse pèsonn. Mesaj sa a, se yon mesaj libète, se yon mesaj liberasyon pou tout moun ki vle viv toutbon vre.

Jan Pèzo te ka di l, si l te vivan, li p ap koute n anyen pou n eseye viv avèk prensip sa yo. Nou pa kapab kontinye ap viv jan n ap viv la, pou n panse nou ka rive yon lòt kote. Si nou vle jwenn lòt rezilta, fòk nou chanje fizi nou zepòl, fòk nou aprann fè lòt bagay ki ka fè n jwenn lòt rezilta.

Kounye a, pou jouk mwen mouri solèy lavi a leve pou mwen. Mwen ta renmen li leve pou nou tout.

Mwen sonje, dimanch pase, anvan solèy la te parèt, m te leve m al nan jaden Pèzo a. Se premye fwa m te ale depi lanmò granmoun nan. Se premye fwa tou, m te viv toutbon vre, jounen trèz novanm nan jan m ta dwe viv li.

Jou maten sa a, m te leve nan kabann mwen bridsoukou, tankou yon egare. Mwen pa te konnen sa m t ap fè, men, m te pran lari pou mwen. Konsa, pye m te mennen m sou teren foutbòl la. Lè m rive, m pa te wè pèsonn. Yon gwo van t ap soufle, li t ap balanse adwat agoch. Mwen chache yon kote pou m pran fòs. Mwen te vin ateri kote m te kontre Pèzo premye fwa a.

Mwen wè blòk kote nou te chita lè nou te fèk kontre a, men li te prèske fin antre anba tè. Mwen te lonje kò m atè a pou m te kole zòrèy mwen sou pati nan wòch la ki te parèt deyò a, avèk lespwa m a tande vwa li. Je m te fèmen byen di, tout kò m te red; mwen t ap chache reviv premye rankont mwen ak Pèzo a.

Annapre, m te glise desann atè a. Mwen te ranmase yon ponyen sab, m t ap fikse grenn sab yo youn pa youn, pandan pawòl Pèzo yo t ap kònen nan zòrèy mwen:

"Si yon jou ou rive konprann bèlte ki genyen nan yon grenn pousyè, w a posede tout sajès lèzòm te ka genyen."

Se youn nan pawòl li yo m pa janm bliye.

Epi, m te leve, m te leve kouri kite teren an. Mwen pa te wè kote m t aprale. Mwen te kòmanse kouri san rete, jouk lè m bouke. Mwen te vin mache pi dousman. Solèy la te deja leve, li t ap pike m sou tout kò m. Te gen anpil rak bwa, raje toupatou, zèb chèch te anvayi chemen an, yo te fin depafini. Mwen vire, m tounen kote m te ye a, jouk m te rive sou tèt ti ravin nan. Mwen te vin konprann atò, m te nan jaden Pèzo a.

Men, se pa te yon jaden ankò. Tè a te chèch, zo dan wòch yo t ap griye anba solèy la. Mwen te mache ale bò rivyè a, pa te gen rivyè ankò; m te wè yon ma labou kote anpil kochon t ap layite kò yo. Tout kote se te dezolasyon. Mwen pran kouri, m te kouri jouk m te pèdi nan jaden an.

Kote m te rive a te plen bourik ak chwal; yo te kouche, yo t ap dòmi. Mwen al chita bò kote yo pou m te ka fè yon ti poze. Mwen te lonje kò m atè a, epi m te dòmi.

Lè m leve, je m te louvri sou yon chwal ki te panche sou mwen, li t ap fikse mwen. Lè m te obsève byen, yo tout t ap gade m; yo te kanpe sou pye yo. Epi, je m te vin louvri sou nich yo atè a. Mwen te nan pyès kay m te dòmi ak Pèzo a, jou li te mouri a. Mwen te leve kanpe bridsoukou sou de pye m, chalè solèy la t ap chofe pyès kay la. Li te tounen yon pak pou bèt yo.

Mwen soti kite jaden an. Mwen mache tèt bese nan lari a. Dlo t ap kouri nan je m san rete. Lè m te prèt pou rive Ri Timas, m te wè menm dezolasyon an nan je moun mwen kontre yo. Yo te abiye byen bèl, timoun kou granmoun; men nan je yo, yo te sanble yo t ap chache yon bagay. Epi, yon klòch te sonnen, li te sonnen setè. Se vre, se te yon jou dimanch, yon dimanch trèz novanm. Epi, m te kouri tout boulin. Testaman sa a, m pa te ka kenbe l pou mwen.

Mwen sonje byen tout sa Pèzo te di mwen:

-Voye je w, gade kòman solèy la ap kouche. Se yon mistè mwen-menm avèk ou p ap janm konprann. Lalin nan k ap fè n filalang, de ti zetwal k ap fè n je dou, se yon bagay lespri nou p ap janm ka fin konprann. Men, tout sa ki gen pou wè ak fason pou viv ak lòt yo, nou jwenn yo nan yon ti souri, nan yon ti bo; nou jwenn yo ekri sou fèy bwa yo. Nou wè yo parèt nan yon kout zeklè, nan yon ti lapli k ap farinen, . . . Nou jwenn yo ekri nan kaye kè nou.

Jou n a sispann di tèt nou : « Se pa fòt nou », nou chak a pran reskonsablite nou. Nou va konprann, lè gen yon bagay pou nou fè, se nou ki pou fè li. Si nou pa fè l, pa gen moun k ap fè l pou nou. Jou sa a, peyi a a fè yon gwo pa pou pi devan. Nou tout a pran konsyans, demen miyò peyi a depann de chak pitit li yo.

Pou fini
(Jounal Lespwa)

20 Novanm 2001:
Ayiti pèdi wa Salomon li a

Labib rakonte, wa Salomon se wa ki pi saj peyi
Izrayèl te genyen. Lakay nou an Ayiti, nou te
gen chans genyen yon wa Salomon, anpil nan
nou te konnen 1 pou sajès ak renmen li te
enspire jenès ayisyen an. Men jou vandredi trèz
novanm nan, nan aswè, nan jaden li, Zakari
Sorèl, anpil nan nou nan peyi a rele Pèzo, te pati
kite nou, aprè 1 te fin pase san en rekòl kafe sou
tè a.

Devan tout fanmi li ak zanmi li yo, devan
otorite ayisyen yo ak reprezantan etranje yo,
devan tout moun ki te konn admire
kokennchenn gason sa a, devan tout Ayisyen
nan peyi a, yon jèn gason Zakari Sorèl te adopte
pou pitit li, te prezante yon diskou sou lavi
defen an. Men yon pati nan diskou a:

Zakari Sorèl, se te dènye rès yon fanmi ki t ap
viv Gonayiv. Papa 1 ak manman 1 te gen dis

pitit. Zakari se te dènye pitit yo, li te fèt nan ane 1900.

Zakari Sorèl, se te yon moun tankou nou tout. Li te pase anpil mizè nan zanfans li. Depi li te tou piti, li te konn ale nan jaden pou chache touye grangou li. Depi li te tikatkat, se li ki te reskonsab fanmi an, menm moun yo nan lantouray li pa te janm asepte li, paske Zakari te yon enfim, li te manke yon pye.

Men, menm si Zakari pa te yon moun tankou nou tout, li te fè anpil bèl bagay nan kominote kote li t ap viv la.

Li te gen chans ale lekòl nan lise Gonayiv la, se la li te fè sètifika. Men, li pa te gen chans retounen lekòl ankò. Malgre li te jèn anpil, li te oblije al chache lavi pou l ede fanmi l jwenn manje. Li se te potomitan fanmi an.

Depi lè li te tou piti, paran li te wè nan li anpil sajès ak bon konprann, li te konn ede yo anpil lè pou yo te rezoud pwoblèm nan fanmi an. Misye te yon reyon solèy pou fanmi an, pou papa l, manman l, ak pou sè l ak frè l yo. Li te yon bon konpany pou kanmarad li yo tou; li te yon bon paran pou san manman yo. Li te yon reyon solèy tout kote l te pase.

Fason li te konn gade w, souri ki te konn soti nan kè l, pawòl ki te konn soti nan bouch li te mete lespwa ak kè kontan pou batay ak lavi a nan tout moun ki t ap viv bò kote li.

Li te gen vennsenkan sèlman sou tèt li, lè yo te mete l chèf katye nan komin kote l te ye a. San l pa te majistra, li te jwe wòl sa a nan Gonayiv. Li pa te prezidan, men pou moun nan zòn nan yo pa te gen lòt prezidan.

Zakari Sorèl pa te janm pale ak yon moun pou l pa te dechouke rasin dezespwa ak dekourajman nan tèt ak nan kè moun sa a. Youn nan pi bèl pawòl li te konn di sila yo ki te bò kote l: "Lavi a bèl." Se vre li bèl; li te bèl pou nou tout, chak fwa nou te kontre ak li. Men paske anpil fwa, sa n ta dwe fè nou pa fè yo, nou pran koutba'nan men lavi a.

Se pa sèlman moun Gonayiv ki te konn goute nan sajès Zakari. Moun konn soti toupatou nan kat kwen peyi a pou kontre ak nonm sila a. Lòt moun tou k ap viv nan peyi etranje, tande pale de nonm sa a. Paske si yo t apral marye, konsèy Zakari se te lò pou yo. Si yon moun te sou wout divòse, Zakari se te dènye sekou a. Tout moun te jwenn tout kalite konsèy nan men l; Zakari te la pou yo. Li pa te fè sa pou lajan, paske se te yon misyon pou li sou tè a. Li te vini, kounye a, li pati kite nou. Men sa li te vin fè a, li te fè l byen. Misye se te yon moun toutbon.

Lavi Zakari Sorèl se yon egzanp pou tout moun ki vle viv toutbon vre. Egzanp li kite pou nou montre bonè nou tout se nan renmen li chita. Chemen li trase pou nou, montre nou toutbon vre, mwen-menm ak ou, nou ka fè anpil bèl bagay. Se poutèt sa, nou dwe sere senti nou, kanpe byen djanm. Paske si Zakari pati jodi a, se pou lòt Zakari parèy li ka soti tèt yo deyò. Travay li fè nan mitan nou, ap toujou rete nan memwa nou, nan lespri nou. Pi bèl bagay nou ka fè pou nou onore lavi yon nonm konsa, se viv, epi montre sila yo ki bò kote nou tout sa li te aprann nou. Nou gen tout sa nou bezwen pou nou pati; pati pou nou reyisi lavi nou, pati pou nou ede lòt yo, pati pou nou fè peyi a vanse.

Konsa, Zakari Sorèl a fèmen je li nan lapè, yon lòt fwa ankò kote li ye a, paske travay li a pa bout, li nan men nou pou n kontinye.